LA FIN

Publié avec l'autorisation de HarperCollins *Children's* books.
© 2006 HarperCollins® Publishers Inc.
Texte copyright © 2006 Lemony Snicket.
Illustrations copyright © 2006 Brett Helquist.
Titre original : *A Series of Unfortunate Events - THE END*
Traduction française © Éditions Nathan (Paris – France),
2007 pour la première édition
© Éditions NATHAN, SEJER, 25 avenue Pierre de Coubertin, 75013 Paris,
2010 pour la présente édition.
Loi n° 49-956 du 16 juillet 1949 sur les publications destinées à la jeunesse,
modifiée par la loi n° 2011-525 du 17 mai 2011.
ISBN 978-2-09-252731-3

LA FIN

Lemony Snicket

Illustrations de Brett Helquist
Traduction de Rose-Marie Vassallo

Nathan

Pour Beatrice

Je t'ai aimée,
Tu nous as quittés,
Le monde s'est encauchemardé.

Chapitre I

S'il vous est arrivé d'éplucher un oignon, vous avez pu constater que sous la première fine pelure se cache une autre fine pelure, et sous cette autre fine pelure une autre encore, puis une autre, et une autre, et une autre, si bien qu'avant longtemps vous vous retrouvez avec des dizaines, des centaines de pelures sur la table de la cuisine et des torrents de larmes dans les yeux, au point de regretter d'avoir entrepris d'éplucher cet oignon pour commencer, et de vous dire que vous auriez mieux fait de le laisser se momifier en paix sur son étagère, mieux fait de poursuivre sans lui le cours de votre vie, quitte à renoncer à tout jamais aux saveurs complexes, envahissantes et douces-amères de cet étrange et âpre légume.

À sa façon, l'histoire des orphelins Baudelaire est un oignon, et si vous vous obstinez à éplucher jusqu'à la dernière les fines pelures de cette série de désastreux événements, vous vous retrouverez avec cent soixante-dix chapitres navrants sur vos rayonnages et plus de larmes dans les yeux que vous n'auriez cru pouvoir en produire. Même si vous avez déjà absorbé les douze premiers tomes de cette consternante série, il est encore temps de vous en tenir là, encore temps de remiser ce volume treize sur l'étagère, où il se momifiera en paix tandis que vous lirez quelque chose de moins complexe, moins envahissant et moins doux-amer. Car ce feuilleton calamiteux s'achève aussi mal qu'il a commencé, chacun de ses épisodes affli-geants ne faisant que déboucher sur un autre, non moins affligeant, puis un autre, et un autre, et un autre encore, tous plus affligeants les uns que les autres, de sorte que seuls ceux dont l'estomac tolère cet étrange et âpre récit devraient se risquer plus avant dans le triste oignon de la chronique Baudelaire. Il m'en coûte de devoir le dire, mais c'est ainsi.

Les orphelins Baudelaire, quant à eux, auraient donné cher pour voir un oignon flotter comme un bouchon sur l'océan désert qui les berçait mollement à bord d'un bateau de bois, guère plus spacieux qu'un grand matelas et infiniment moins confortable. Si pareil légume était apparu, l'aînée du trio, Violette, aurait noué ses cheveux d'un ruban pour se dégager le front, et en un rien de temps elle aurait conçu un engin spécialisé dans la récupération des oignons à la dérive. Klaus, son cadet et l'unique garçon, aurait tiré de ses milliers de souvenirs de lecture toute une somme d'informations sur les bulbes végétaux, y compris la réponse à la question de savoir si celui-là était comestible. Quant à Prunille, sortie depuis peu du stade bébé, elle aurait émincé en petits cubes le bulbe susdit grâce à ses dents exceptionnellement tranchantes, puis elle aurait mis à profit ses talents culinaires acquis de fraîche date pour tirer de ce simple légume un plat de haute gastronomie. Et elle aurait annoncé à ses aînés ravis : « Soubise ! », ce qui était l'une de ses façons de dire : « À table ! »

Mais il n'y avait pas d'oignon en vue sur cette mer plate comme un miroir. Ni rien d'autre en vue, d'ailleurs, et pour tout dire les trois enfants n'avaient pas aperçu grand-chose depuis le début de leur croisière – depuis qu'ils avaient lancé cette coque à la mer du haut de l'hôtel Dénouement, afin d'échapper aux flammes qui s'emparaient du bâtiment, ainsi qu'aux autorités qui recherchaient le trio pour meurtre et incendie volontaire. Dans un premier temps, le vent et les courants avaient eu tôt fait d'entraîner l'esquif loin de l'hôtel en flammes et, avant même la tombée du jour, la grande ville et son front de mer n'avaient plus été qu'un vague bourrelet de brumaille bleutée sur l'horizon. Mais à présent, et depuis l'aube, il n'y avait strictement rien à voir, hormis la mer amorphe et le ciel d'un gris de bitume. Un ciel qui rappelait aux enfants ce lugubre matin, sur la plage de Malamer, où ils avaient appris qu'un incendie les avait privés à la fois de leurs parents et d'un nid. Et le souvenir de ce sombre jour, premier de tant de sombres jours, ne les rendait guère loquaces.

Pourtant, se laisser porter par un bateau tout en méditant sur leur vie aurait pu, pour les trois enfants, constituer presque une détente – n'eût été la présence à bord d'un compagnon peu plaisant.

Ce compagnon de bord se nommait Olaf, comte Olaf plus précisément, et les enfants Baudelaire avaient eu l'infortune d'en être escortés, de près ou de loin, du jour où ils s'étaient retrouvés orphelins, ce discutable individu leur ayant été alloué pour tuteur. Depuis lors, le comte susnommé n'avait cessé d'échafauder stratagème sur stratagème dans l'espoir d'empocher l'immense fortune Baudelaire et, bien que jusqu'alors aucun de ces stratagèmes n'eût été couronné de succès, il était clair que peu à peu la duplicité du personnage déteignait sur les trois enfants, tant et si bien que, pour l'heure, le diabolique tuteur et ses anciennes pupilles se retrouvaient dans le même bateau, tous quatre ayant à répondre d'un certain nombre de méfaits – même si les jeunes Baudelaire, au moins, avaient la décence d'en éprouver du remords, à l'inverse du comte qui s'en glorifiait aux quatre horizons.

– J'ai réussi ! réitérait-il, mot signifiant ici : « répétait pour la énième fois », campé à l'avant de leur navire de poche et tenant d'une main noueuse la figure de proue – sorte de poulpe en train d'étouffer une sorte de scaphandrier. Aha ! vous croyiez m'échapper, orphelins ! Mais pour finir, je vous tiens entre mes griffes !

– Oui, Olaf, admit Violette d'un ton las.

L'aînée des Baudelaire renonçait à faire observer que, la situation étant ce qu'elle était, on pouvait tout aussi bien dire que c'était eux, les orphelins, qui tenaient le comte entre leurs griffes. Ravalant un soupir, elle jeta un regard vers le mât, où ce qui restait de voile pendouillait misérablement dans l'air immobile. Depuis un moment, Violette cherchait comment faire avancer ce bateau en l'absence de vent, mais les moyens du bord étaient fort limités, exception faite de deux grandes spatules empruntées au solarium de l'hôtel Dénouement. Des heures durant, à l'aide de ces spatules, les trois enfants avaient pagayé avec énergie. Mais propulser un voilier à la rame, même un voilier de jauge modeste, est un exercice éreintant, surtout lorsque le plus lourd des membres de l'équipage ne lève pas le petit doigt pour aider, trop occupé qu'il est à plastronner. Aussi Violette se creusait-elle la cervelle, en quête d'un trait de génie pour accélérer le mouvement.

– J'ai fait flamber l'hôtel Dénouement ! claironnait Olaf pour un public invisible. J'ai réduit V.D.C. à néant !

– Vous nous l'avez dit cent fois, marmotta Klaus sans lever les yeux de son calepin bleu nuit.

Depuis un moment, Klaus avait rouvert son cher carnet de bord afin d'y consigner les derniers détails de leur histoire, y compris le fait que c'était eux, les enfants Baudelaire, qui avaient mis le feu à l'hôtel Dénouement. Quant à V.D.C., sorte de société secrète, mystérieuse organisation dont les enfants avaient maintes fois entendu parler au cours de leur errance, cet incendie n'avait sans doute pas causé sa perte – du moins pas complète, selon toute hypothèse, même si plusieurs de ses membres s'étaient en effet trouvés dans l'hôtel lorsqu'il avait pris feu. Pour l'heure, Klaus relisait ses notes concernant le fameux « schisme », déchirante scission entre les membres du groupe, clivage apparemment lié à un énigmatique sucrier. Le garçon ne savait pas ce qu'avait contenu ou contenait encore ce sucrier, et pas davantage où pouvait se trouver, à l'instant même, l'une des plus héroïques figures de l'organisation, une jeune femme du nom de Kit Snicket. Les trois enfants n'avaient rencontré Kit qu'une fois, tout récemment, juste comme elle s'apprêtait à prendre la mer de son côté, à la recherche des triplés Beauxdraps, trois amis que les enfants Baudelaire avaient perdus de vue et qui, aux dernières nouvelles, devaient naviguer quelque part dans les airs à bord d'un aérostat de haut vol – une maison volante à air chaud. Klaus relisait ses notes à ce propos, dans l'espoir qu'à force de les lire il en déduirait où leurs amis pouvaient être.

– Et à la fin des fins, cornait Olaf, la fortune Baudelaire est entre mes mains ! Je suis riche, immensément riche ! Il s'ensuit que tout un chacun doit m'obéir !

– Haricots ! dit Prunille.

La benjamine des Baudelaire n'avait plus rien d'un bébé, mais elle s'exprimait encore dans une langue bien à elle, avec un goût marqué pour les formulations condensées, l'art de dire beaucoup en peu de mots, et par « Haricots ! » elle entendait quelque chose comme : « Des clous ! » En quoi elle n'avait pas tout à fait tort, car la fortune Baudelaire ne se trouvait certes pas à bord de cette coquille de noix, de sorte qu'on ne pouvait guère la dire aux mains de qui que ce fût.

Mais par « haricots » Prunille entendait aussi « haricots », tout bonnement. L'une des rares choses que les enfants avaient trouvées à bord du minuscule voilier était une grande jarre de terre cuite coincée à mort sous l'un des bancs de bois. Le récipient, quoique empoussiéré et apparemment fort ancien, disposait d'un couvercle hermétique dont le joint de caoutchouc s'était révélé intact, de sorte que le contenu, dûment reniflé, avait été déclaré comestible.

Prunille en remerciait la Providence, d'autant que, sur ce bateau, il n'y avait rigoureusement rien d'autre à se mettre sous la dent ; mais elle ne pouvait s'empêcher de regretter que la jarre n'eût pas contenu autre chose que de simples haricots blancs. Certes, les haricots secs se prêtent à toutes sortes de recettes inspirées – les parents Baudelaire en faisaient une salade froide avec des tomates cerises, du basilic frais, un peu de jus de citron vert, un jet d'huile d'olive et un tour de moulin de poivre de Cayenne, et c'était un plat délectable par les chaudes journées d'été. Mais en l'absence d'autres ingrédients, Prunille n'avait pu servir à ses convives qu'une espèce de purée blanchâtre et insipide, de quoi assurer leur survie mais en aucun cas faire la fierté d'un aspirant cordon bleu.

Laissant le comte Olaf fanfaronner à sa guise, la petite considérait le fond de haricots dans la jarre, se demandant comment en tirer quelque chose de plus intéressant pour les papilles.

– Mon premier achat, ce sera une grosse voiture rutilante ! rêvait le comte à voix haute. Avec un moteur surpuissant, pour pouvoir rouler très au-dessus des limites autorisées. Et un pare-chocs ultra-blindé, pour dégager mon chemin à tout-va sans cabosser ma carrosserie. Cette voiture, je l'appellerai « Comtesse » et, quand les gens entendront crisser les freins, ils diront : « Ah ! voilà le comte Olaf et sa Comtesse. » Orphelins ! Plein cap sur le plus proche concessionnaire auto ! Et haut de gamme, hein, pas un de ces revendeurs d'occasions à la gomme !

Les enfants échangèrent un regard. Comme chacun sait, au milieu de l'océan, les concessionnaires automobile sont rares, haut de gamme ou pas (encore que j'aie entendu parler d'un négociant en pousse-pousse qui dirigeait son affaire depuis une grotte marine au fond de la Caspienne). Rien n'est plus lassant que de voyager avec quelqu'un qui ne cesse d'exiger ceci, puis cela, surtout quand les exigences en question sont parfaitement irréalistes, et les trois enfants, soudain, ne purent tenir leur langue plus longtemps, expression signifiant ici : « estimèrent qu'il était temps de dire au comte Olaf ses quatre vérités ».

– Le cap sur un concessionnaire auto ? ironisa Violette. Désolée. On ne peut mettre le cap sur rien. Le vent est tombé, et Klaus et moi n'en pouvons plus de ramer.

– La paresse n'est pas une excuse, gronda Olaf. Moi, je n'en peux plus d'avoir tant intrigué, et m'entendez-vous me plaindre ?

– Qui plus est, renchérit Klaus, nous n'avons pas la moindre idée d'où nous sommes. Donc pas la moindre idée de la direction à prendre.

– Je le sais, moi, où nous sommes, gloussa Olaf. Au milieu de l'océan.

– Haricots, dit Prunille.

– Oh ! et toi, la paix, marmitonne. J'en ai jusque-là de ta bouillie infâme ! Elle est plus atroce encore que cette salade que confectionnaient vos parents. L'un dans l'autre, orphelins, vous êtes les pires acolytes que j'aie eus de ma vie !

– Nous ne sommes PAS vos acolytes ! éclata Violette. Il se trouve simplement que nous naviguons ensemble.

– Dis donc ! tonna Olaf. Tu oublies qui est le capitaine, sur ce bateau ! (D'un poing crasseux, il frappa le bois de la figure de proue, puis, sans prévenir, braqua son lance-harpon sur le scaphandrier enlacé par le poulpe.) Si vous refusez de m'obéir, vous trois, je pulvérise ce casque de scaphandre et c'en sera fait de vous !

Les trois enfants, atterrés, posèrent les yeux sur le casque. À l'intérieur, ils le savaient, dormaient des spores de la fausse golmotte médusoïde, *Amanita gorgonoïdes*, redoutable champignon prêt à faire périr quiconque inhalait ne fût-ce qu'une seule de ses spores. Quelques jours plus tôt, Prunille avait failli être emportée par ce champignon tueur et n'avait dû son salut qu'à une dose de wasabi, condiment japonais et antidote du poison susdit, déniché in extremis par ses aînés.

– Vous n'oseriez pas, riposta Klaus d'un ton qu'il espérait ferme. La médusoïde ne ferait pas de quartier, pas plus pour vous que pour nous, et vous le savez.

– Mismo barco, résuma Prunille.

– Notre petite sœur a raison, Olaf, dit Violette. Nous sommes dans le même bateau, vous et nous. Sans vent. Sans boussole ni sextant. Sans cartes marines. Sans vivres. Si les choses ne s'améliorent pas, je ne donne pas cher de notre peau. Vous feriez mieux d'essayer d'aider, au lieu de jouer les amiraux.

Le comte lui décocha un regard noir, puis il tourna le dos et ordonna, gagnant la poupe :

– Bon. Vous trois, améliorez les choses. Moi, je change la plaque de ce bateau. Plus envie que mon yacht s'appelle le *Carmelita*.

Les trois enfants se souvenaient vaguement de ce détail : une plaque était fixée sur le tableau arrière au moyen de bande adhésive. Et sur cette plaque était écrit, en lettres malhabiles, *Carmelita*, sans doute en l'honneur d'une certaine Carmelita Spats, jeune peste que les enfants avaient connue dans un collège de triste mémoire. La chipie avait été, par la suite, plus ou moins adoptée par Olaf et sa petite amie Esmé – et toutes deux laissées en plan à l'hôtel Dénouement.

Déposant son arme, Olaf se plia en deux par-dessus bord et se mit en devoir, à grands coups d'ongles jaunes, de décoller la bande adhésive afin d'arracher la plaque, laquelle en masquait une autre par-dessous. Les enfants Baudelaire respirèrent en silence. Le nom du bateau ne leur faisait ni chaud ni froid, mais voir le malfrat enfin occupé était pour eux un soulagement, et une occasion inespérée de tenir conciliabule.

– Que faire ? chuchota Violette à ses cadets. Crois-tu pouvoir attraper du poisson, Prunille ?

La petite fit non de la tête.

– Pas appât, dit-elle. Plonge ?

– Non, dit Klaus, il vaut mieux pas. Toujours la même chose : manque d'équipement. Et va savoir ce que tu pourrais rencontrer dans ces eaux.

Les trois enfants firent silence, songeant à cette forme louche aperçue un jour sur l'écran de radar du sous-marin *Queequeg*. Non qu'il y eût grand-chose à voir : juste une silhouette incurvée, un vague point d'interrogation, et qui n'avait fait que passer. Mais d'après le capitaine du submersible, cette chose était plus redoutable encore que dix comtes Olaf réunis.

– Klaus a raison, reprit enfin Violette. Plonger ici, pas question. Et toi, Klaus, dans tes notes, tu n'as rien trouvé qui puisse nous mener aux autres ?

Klaus referma son calepin.

– Hélas non ! Kit nous a dit qu'elle allait retrouver le capitaine Virlevent sur certain banc d'algues, mais même si nous savions quel banc d'algues au juste, nous serions en peine de nous y rendre, faute d'instruments de navigation.

– Je pourrais sans doute bricoler une boussole, dit Violette. Un petit bout de métal magnétisé, un pivot, ce serait vite fait. Encore faudrait-il les avoir. Bon, d'un autre côté, peut-être vaut-il mieux ne pas rejoindre les autres, de toute manière. Nous leur avons déjà causé tant d'ennuis…

– C'est vrai, reconnut Klaus. Ils ne seraient peut-être pas ravis de nous voir débarquer, surtout avec Olaf à nos basques.

Prunille jeta un regard au coquin, très absorbé par sa besogne.

– Amoin, souffla-t-elle très bas.

Ses aînés échangèrent un regard alarmé.

– À moins que quoi ? dit Violette qui n'avait que trop bien deviné.

Prunille resta muette un moment, les yeux rivés sur la tenue de groom qu'elle portait encore depuis leur séjour à l'hôtel.

– Poussolaf, souffla-t-elle. À la mer.

Les deux aînés restèrent sans voix, moins sous l'effet du choc que parce qu'ils imaginaient si bien la chose et ses suites. Olaf passé par-dessus bord, c'était la tranquillité retrouvée – plus qu'à s'en remettre au sort et laisser le bateau dériver, sans cette fripouille sur le dos, sans ses menaces de libérer le champignon tueur. Olaf passé par-dessus bord, c'était un tiers de haricots en plus pour chacun. Et, en cas de retrouvailles avec Kit Snicket et les Beauxdraps, pas d'encombrante escorte.

Dans un silence gêné, tous trois se retournèrent vers la poupe où le comte Olaf, ventre sur le plat-bord et arrière-train en l'air, s'escrimait à décoller sa plaque. Qu'il était donc simple, en pensée, de le pousser d'une pichenette, juste de quoi lui faire perdre l'équilibre et piquer une tête dans l'eau !

– Lui n'hésiterait pas, souffla Violette très bas, si bas que c'est à peine si ses cadets l'entendirent. Lui n'hésiterait pas à nous passer par-dessus bord, si ce n'était qu'il a besoin de nous pour manœuvrer ce bateau.

– Les volontaires non plus n'hésiteraient pas, je pense, hasarda Klaus.

– Parents ? s'enquit Prunille.

Les trois enfants échangèrent un nouveau regard gêné. Ils avaient récemment appris un détail énigmatique concernant leurs parents et leur passé ténébreux, une rumeur au sujet d'une boîte de fléchettes empoisonnées. Comme tous les enfants, les jeunes Baudelaire s'étaient long-temps efforcés de croire à la quasi-perfection de leurs parents, mais plus le temps passait, moins cette perfection leur semblait parfaite.

Ce qui manquait aux trois enfants, c'était bel et bien une boussole, mais pas le type de boussole dont venait de parler Violette. La boussole de navigation est un instrument fort utile, qui permet de choisir le bon cap lorsqu'on voyage sur les océans. Mais ce qui eût été plus précieux encore pour les orphelins Baudelaire, c'est une boussole morale, sorte d'instrument de navigation situé à l'intérieur de l'individu, dans le cerveau ou peut-être le cœur, et qui lui permet de choisir le bon cap dans une situation confuse. La boussole de navigation, comme vous le savez, est constituée d'une petite lame de métal aimanté, montée sur pivot. Les éléments de la boussole morale sont nettement moins bien identifiés. Certains pensent que chacun naît avec sa petite boussole morale déjà en place, un peu comme l'appendice ou la peur des serpents. D'autres sont plutôt d'avis que la boussole morale se développe avec le temps, à mesure que l'individu observe les décisions de son prochain tout en découvrant le monde et en lisant des livres. Quoi qu'il en soit, la boussole morale semble un instrument délicat et, curieusement, plus on avance en âge et sur les chemins du monde, plus on trouve difficile de lire les indications de son aiguille, de sorte qu'on a de plus en plus de mal à déterminer le bon cap. De surcroît, ce type de boussole se dérègle assez aisément. Au temps de leur première rencontre avec le comte Olaf, jamais leurs boussoles morales n'auraient soufflé aux trois enfants d'user de la manière radicale pour se défaire de cet individu, pas plus en le poussant du haut de sa tourelle qu'en s'arrangeant pour le faire passer sous les roues de sa longue auto noire. Or voilà qu'à présent, à bord du

Carmelita, voyant le scélérat en équilibre instable à l'arrière du bateau, les trois enfants hésitaient. Une si petite poussée semblait devoir suffire…

Pour finir, prendre une décision leur fut épargné. Car à l'instant même, comme à tant d'instants mêmes dans la vie des jeunes Baudelaire, la décision fut prise pour eux : le comte Olaf se redressa d'un coup avec un grand sourire de triomphe.

– Génial ! annonça-t-il. Un problème majeur résolu. Regardez !

Les enfants se contorsionnèrent pour jeter un coup d'œil au tableau arrière. La plaque au nom de *Carmelita* avait laissé place à une autre plaque par-dessous, clamant fièrement : *Comte Olaf* – encore que cette deuxième plaque, elle aussi maintenue par de la bande adhésive, parût clairement masquer une troisième plaque.

– Rebaptiser le bateau ne résout rien, dit Violette d'un ton de grande lassitude.

– Violette a raison, dit Klaus. Ça ne nous donne ni le cap à tenir, ni aucun instrument de navigation, ni rien à manger, rien à boire.

– Amoin… commença Prunille.

Mais le comte l'interrompit d'un gloussement.

– Vous avez vraiment l'esprit aussi vif que des limaces, vous trois ! Regardez plutôt l'horizon, cruchons ! Voyez ce qui s'annonce ? Pas besoin de cap à tenir ni d'instrument de navigation : nous irons où ce grain nous mènera ! Et pour ce qui est d'eau à boire, j'ai dans l'idée que, sous peu, nous aurons fait le plein pour le restant de nos jours.

Les enfants observèrent l'horizon et virent à quoi il faisait allusion. Une lourde nuée noire dévorait le ciel à vue d'œil, pareille à de l'encre se répandant sur un antique parchemin. Au milieu des océans, une tempête peut se déclencher en un rien de temps, comme venue de nulle part, et celle-ci s'annonçait d'une rare violence – plus féroce encore que l'ouragan Herman auquel les trois enfants avaient eu affaire sur le lac Chaudelarmes, lors d'un séjour qui s'était achevé en tragédie. Déjà, sur l'horizon, se dessinait le rideau oblique de l'averse qui s'abattait dru, et de vives lueurs embrasaient les nuages à intervalles brefs.

– Magnifique, non ? s'enthousiasma Olaf, sa crinière en bataille ondulant dans la bourrasque naissante – et, derrière son glapissement, les enfants entendirent le tonnerre rouler. Voilà qui va répondre à toutes vos jérémiades !

– Ou mettre ce bateau en pièces, dit Violette avec un coup d'œil anxieux sur la voile en loques. Une si petite embarcation n'est pas faite pour résister aux tempêtes.

– Et allez savoir où celle-ci va nous pousser, renchérit Klaus. Nous pourrions très bien nous retrouver encore plus au large, loin de toute civilisation.

– Grande tasse, conclut Prunille sobrement.

Mais le comte souriait à la nuée montante comme à un vieil ami venu lui rendre visite.

– Oui, murmura-t-il, sardonique. Tout cela se pourrait. Mais que voulez-vous y faire, orphelins ?

À leur tour, les trois enfants contemplèrent l'enclume de plomb qui montait de seconde en seconde. Il était difficile de croire que, quelques minutes plus tôt, l'horizon avait été d'un gris uniforme, et pourtant cette masse en mouvement, gonflée de pluie et de vent, n'était pas une illusion d'optique. Cela dit, Olaf n'avait pas tort : Violette, Klaus et Prunille Baudelaire n'y pouvaient strictement rien. Ni l'ingéniosité, ni l'esprit de méthode, ni la créativité culinaire ne faisaient le poids face à ce qui se tramait là. Sous leurs yeux, l'enclume nuageuse se muait en monstrueux chou-fleur sombre qui continuait de bourgeonner à vue, un peu comme se multiplient sans fin les pelures d'un oignon qu'on épluche, ou comme s'enfle et noircit un sinistre secret trop longtemps contenu.

Même avec leurs boussoles morales passablement désorientées, les enfants Baudelaire savaient qu'en pareil cas il n'y a qu'une chose à faire : ne rien faire, sauf peut-être le dos rond.

Et l'énorme tempête engloutit d'un seul coup les trois enfants et le truand, tous les quatre dans le même bateau.

Chapitre II

Je n'essaierai pas de décrire par quelles affres passèrent les orphelins Baudelaire durant les heures qui suivirent. La plupart de ceux qui ont survécu à une tempête en mer en reviennent si secoués qu'ils ne veulent plus jamais en parler, et le seul moyen, pour un auteur, de décrire une tempête en mer est donc d'embarquer lui-même avec un crayon et un carnet, et d'attendre qu'une tempête daigne se déchaîner. Pour les besoins de ce récit, j'ai donc pris la mer sur une coquille de noix avec un crayon et un carnet, et attendu que la tempête daigne se déchaîner. Mais j'en suis revenu si secoué que je n'ai plus jamais voulu en parler. Aussi n'essaierai-je pas de décrire la frénésie du vent, qui mettait la voile en charpie comme il l'eût fait d'un mouchoir de papier, et changeait la coque en patineur cherchant à éblouir la galerie. Aussi m'abstiendrai-je d'évaluer le cubage d'eau glaciale déversé sur les trois enfants, transformant leurs tenues de groom en seconde peau ou en fine carapace de glace. Aussi ne tenterai-je pas de dépeindre les éclairs furibonds s'abattant sur le mât qui n'en pouvait mais, l'envoyant saluer bien bas les eaux bouillonnantes. Aussi renoncerai-je à évoquer le tumulte du tonnerre, dont les coups se superposaient à vous faire exploser les tympans, ou la valse folle de la coque qui se prit soudain, comme en s'ébrouant, à jeter toute sa cargaison à la mer : d'abord la jarre de haricots, que le grand bouillon goba avec un *glop !* avide ; puis les deux spatules de métal, dans lesquelles se mira la foudre avant leur disparition complète au creux des vagues en folie ; et enfin les draps que Violette avaient empruntés à la laverie pour en faire un parachute, lors du lancement du bateau depuis la terrasse de l'hôtel, et qui ondulèrent un instant, gonflés, boursouflés, pareils à de grosses méduses, avant de sombrer dans l'eau verte. Aussi laisserai-je le lecteur imaginer seul l'implacable ascension des vagues – ailerons de requin pour commencer, puis tentes de camping à vingt places, et pour finir montagnes glaciaires qui se dressaient, se dressaient, se dressaient avant de s'écrouler d'un bloc sur ce qui restait de l'infortuné bateau, avec une sorte de cri rauque pareil au rire d'une bête infernale. Non, je n'essaierai pas de dire comment les enfants Baudelaire, agglutinés en petite grappe agrippée à l'esquif, croyaient leur dernière heure arrivée et s'attendaient, d'un instant à l'autre, à se voir précipiter dans l'onde qui serait leur tombeau, tandis que le comte Olaf se cramponnait à son lance-harpon en même temps qu'à la figure de proue, comme si l'arme létale et le champignon mortel dans le casque de scaphandre étaient ce qu'il avait de plus précieux au monde. Et je n'entreprendrai pas non plus de raconter comment la figure de proue, sans prévenir, se détacha de ce bateau avec un craquement d'épouvante, envoyant les enfants Baudelaire rouler d'un côté, le comte Olaf de l'autre, ni comment la coque de bois cessa subitement de tournoyer avec une sorte de hoquet, suivi de trépidations convulsives et d'un odieux raclement, avant de s'immobiliser comme si une main de géant venait de se refermer sur les restes du *Comte Olaf* auxquels se cramponnaient les orphelins tremblants.

De leur côté, les trois enfants n'essayèrent pas de chercher à savoir quel était ce nouveau rebondissement. Après tant d'heures de terreur et de roulés-boulés au cœur de la tourmente, ils se contentèrent de ramper dans un coin de la coque et de s'y blottir en petit tas, trop sonnés pour pleurer, tout juste capables d'écouter la mer mugir autour d'eux et Olaf bramer à distance, tout juste capables de se demander brièvement si le comte était en train de se faire mettre en pièces ou s'il avait, lui aussi, trouvé quelque havre inespéré – le pire étant que, de ces deux sorts, les trois enfants n'auraient su dire lequel ils souhaitaient à celui qui leur avait valu tant de misères.

Non, je n'entreprendrai pas de décrire cette tempête, elle ne serait qu'une pelure de plus sur le triste oignon qu'est ce récit, et de toute manière, le lendemain, lorsque le jour chassa la nuit, les derniers tourbillons de nuée noire avaient fui et les trois orphelins, trempés comme des ragondins, découvrirent un petit matin étonnamment calme, à croire que la furie de la veille n'avait été qu'un cauchemar.

Ils se levèrent, un peu chancelants, du fond de la coque immobile, tout courbatus d'être restés recroquevillés des heures entières, et s'efforcèrent de déterminer où diable ils pouvaient être et comment diable ils avaient survécu. Ils inspectèrent les alentours, mais leur perplexité ne fit que croître, car jamais, jamais encore ils ne s'étaient trouvés dans pareil décor.

Au premier regard, ils se crurent toujours au milieu des eaux, car le paysage, à perte de vue, n'était que miroitement mouillé, d'un bord à l'autre de l'horizon noyé de brume du matin. Mais à mieux y regarder, on découvrait deux choses : d'abord, la profondeur de l'eau n'excédait pas celle d'une flaque et, de surcroît, cette immense flaque était jonchée d'épaves, mot signifiant en général : « tout objet abandonné en mer ou rejeté sur le rivage » et, plus particulièrement, ici : « bric-à-brac invraisemblable d'objets aussi saugrenus que bizarres ».

Il y avait là de grands morceaux de bois jaillissant de la vase comme de vilaines dents cariées, et des bouts de cordage entortillés en spaghettis mal égouttés ; il y avait là de gros paquets d'algues, et des myriades de petits poissons venus saluer le jour en frétillant, au grand bonheur d'oiseaux criards qui se laissaient tomber de la brume pour s'offrir un petit déjeuner de fruits de mer. Il y avait là toutes sortes d'articles nautiques, pièces d'accastillage et morceaux de bateaux – ancres et hublots, mâts et bastingages –, éparpillés au petit bonheur à la façon de jouets brisés, ainsi que des accessoires de bord, lanternes fracassées, barriques éventrées, documents réduits en pâte à papier, sans parler d'une ahurissante quantité d'articles du rayon Textiles, du haut-de-forme aplati à l'imper détrempé. Une vieille machine à écrire s'adossait contre une grande cage à oiseaux de style rococo, et une famille de guppys jouait avec ses touches immergées. D'un énorme canon de cuivre à la gueule au ras de l'eau émergeait placidement un crabe, à côté d'une grande hélice drapée de lambeaux de filets de pêche. Il y avait de tout et de rien, à croire que la tempête avait balayé toute l'eau de l'océan, laissant traîner l'extrait sec sur le plancher marin à nu.

– Drôle d'endroit ! chuchota Violette. Pourquoi tous ces trucs éparpillés ?

Klaus tira ses lunettes de sa poche où il les avait rangées pour plus de sécurité, et fut soulagé de les retrouver intactes.

– Je dirais que nous sommes sur un haut-fond, murmura-t-il. Il y a des endroits comme ça, dans la mer, où l'eau est soudain peu profonde, presque toujours près d'une côte. Je crois que ça s'appelle… plate-forme… « plate-forme littorale ». La tempête a dû jeter notre bateau sur une plate-forme de ce genre, avec toutes ces autres épaves.

– Terre ? demanda Prunille, ses petites mains en visière sur ses yeux. Vois pas.

Klaus enjamba précautionneusement le platbord. L'eau ne lui arrivait pas aux genoux, et il commença de patauger autour de la coque, à petites enjambées prudentes.

– S'il y a une côte pas loin, une île, quelque chose, reprit-il, alors nous sommes sans doute sur l'estran – la portion de littoral entre la plus haute mer et la plus basse. Plus la côte est plate, plus l'estran s'étale sur des grèves immenses. À mon avis, il y a une île quelque part. Essayons de la trouver.

Violette suivit son frère hors du bateau et, pour éviter à Prunille, haute comme trois pommes et demie, de barboter jusqu'au cou, elle la prit sur ses épaules.

– Bon, et maintenant, dit-elle, quelle direction prendre ? Il ne s'agirait pas de nous perdre.

– Perdus déjà, fit observer Prunille.

– Très juste, dit Klaus. Même une boussole ne nous servirait à rien. Nous ne savons pas où nous sommes ni où nous voulons aller. N'importe quelle direction fera l'affaire.

– En ce cas, je vote pour l'ouest, déclara Violette, tournant le dos au levant. Aucune raison de marcher avec le soleil dans les yeux.

– Sauf si nous retrouvons nos lunettes noires, dit Klaus. La tempête nous les a prises, mais rien ne prouve qu'elle ne les a pas rejetées dans le secteur.

– On doit pouvoir trouver tout et n'importe quoi, ici, reconnut Violette.

Les trois enfants n'avaient pas fait vingt pas qu'ils constatèrent que tel était le cas. Car il y avait là, sous leurs yeux, une épave dont ils auraient été en droit d'espérer que la tempête les avait débarrassés à jamais. À demi flottant, à demi échoué sur une carcasse de bateau gisait le comte Olaf, son lance-harpon à l'épaule. Les yeux clos sous son sourcil unique, il était parfaitement inerte. De tout le temps passé auprès de ce personnage, jamais les trois enfants ne lui avaient vu les traits aussi détendus.

– Ce n'était pas la peine de le pousser à l'eau, finalement, chuchota Violette. La tempête l'a fait pour nous.

Klaus se pencha sur Olaf, mais la crapule ne bougea pas d'un pouce.

– Kaput ? s'informa Prunille – mais à cet instant les yeux du comte s'ouvrirent et la question ne se posa plus.

Le scélérat fronça son long sourcil et regarda à droite, à gauche, désorienté.

– Où suis-je ? marmonna-t-il, crachant un bout d'algue. Où est ma figure de proue ?

– Plate-forme, répondit Prunille.

Au son de sa voix, le comte cligna des yeux, se redressa en position assise et, foudroyant les enfants du regard, se purgea vigoureusement une oreille bouchée par l'eau.

– Un café, orphelins ! Et que ça saute ! aboya-t-il, redevenu lui-même. J'ai passé une nuit détestable, il me faut un bon petit déjeuner avant de statuer sur ce que je vais faire de vous.

– Désolés, pas de café ici, répondit Violette – bien qu'il y eût, à vingt pas de là, une machine à expresso couchée sur le flanc. Nous partons vers l'ouest, à la recherche d'une île.

– Vous partirez si je le veux, quand je le voudrai et dans la direction que je dirai ! tempêta Olaf. C'est moi le capitaine de ce bateau !

– Le bateau est échoué, dit Klaus. Et pas en très, très bon état.

– N'empêche, vous êtes à mes ordres. Et j'ordonne que nous partions vers l'ouest, à la recherche d'une île. Ha ! une île… On les connaît, ces îles coupées du monde. Elles sont peuplées de primitifs qui n'ont jamais vu la civilisation. Parions que ces gens-là vont me révérer comme un dieu.

Les enfants Baudelaire s'entre-regardèrent. « Révérer » est un mot vénérable assez proche de « vénérer », et qui signifie, ici comme ailleurs :

« traiter avec le plus grand respect, avoir en très haute estime ». Il était peu de personnes au monde que les trois enfants révéraient moins que le triste sire sous leurs yeux, occupé à se curer les dents avec un morceau de coquillage et à traiter de « primitifs » des gens dont il ne savait rien ; et cependant, il fallait admettre que, partout où ils étaient allés, cet homme-là s'était trouvé une petite cour prête à l'encenser, soit par cupidité pure, soit par un étrange aveuglement. Pour leur part, les enfants Baudelaire auraient volontiers laissé le comte Olaf en plan sur ces grèves ; mais il est très difficile de laisser quelqu'un en plan là où tout est déjà en plan, et voilà pourquoi, l'instant d'après, c'est un quatuor qui se mit en route vers l'ouest, louvoyant entre les épaves dans ce qui n'était plus guère qu'un bain de pieds, chacun se demandant à part soi ce qu'il y avait au bout du chemin.

Le comte Olaf ouvrait la marche, son lance-harpon à l'épaule, rompant le silence à chaque instant pour réclamer un café, un jus d'orange ou toute autre denrée non moins difficile à trouver. Derrière lui venait Violette, un balustre d'escalier à la main, canne ultrachic dont elle se servait pour retourner dans la vase les débris mécaniques lui semblant de quelque intérêt, et Klaus cheminait à sa droite, griffonnant de temps à autre une note hâtive dans son calepin. Perchée sur les épaules de l'aînée, Prunille jouait les vigies et c'est elle qui lança soudain un hurlement d'allégresse :

– Terre ! s'égosilla-t-elle, indiquant une direction dans la brume.

Et en effet là-bas, au loin, une vague forme d'île émergeait de l'horizon mouillé. Plutôt plate et tout en longueur, elle évoquait un train de marchandises avec une espèce de grosse locomotive à une extrémité, convoi sur lequel, en scrutant bien, on devinait des touffes d'arbres et quelque chose qui ressemblait assez à du linge mis à sécher – d'immenses pans de toile blanche gonflés par le vent.

– Une île ! coqueriqua le comte Olaf. J'ai découvert une île !

– Vous n'avez rien découvert du tout, lui dit Violette. Elle a l'air habitée déjà.

– Alors j'en serai le roi ! Du jarret, orphelins ! Mes sujets vont me servir un petit déjeuner royal et, si je suis de bonne humeur, je vous laisserai peut-être lécher mon assiette !

Les enfants n'avaient nulle intention de lécher l'assiette de qui que ce fût, et moins que tout celle du comte Olaf, mais ils continuèrent de patauger, de flaque d'eau de mer en banc de sable grossier, zigzaguant entre les paquets d'algues et les épaves rejetées par la tempête. Ils venaient de contourner un piano à queue, pédales en l'air, comme tombé du ciel, lorsqu'un détail attira leur regard : une minuscule silhouette au loin, qui accourait dans leur direction.

– Qu'es aco ? dit Prunille.

– Peut-être un autre rescapé de la tempête, répondit Klaus. Notre bateau n'était sans doute pas seul en mer quand elle s'est déclenchée.

– Croyez-vous que la tempête ait frappé aussi Kit Snicket ? dit Violette.

– Ou triplés ? ajouta Prunille.

Le comte Olaf serra les dents, un doigt sale sur la détente de son lance-harpon.

– Si c'est Kit Snicket, siffla-t-il, ou je ne sais quel orphelin à la noix, pas de quartier ! Pas de crétin de volontaire pour me chiper mon île !

– Vous n'allez pas gaspiller votre dernier harpon, se hâta de faire valoir Violette. Qui sait quand vous pourrez vous en procurer un autre ?

– Pas faux, reconnut-il. Tu es en train de devenir une complice de qualité.

– Insane, gronda Prunille, et elle montra les dents.

– Ma petite sœur a raison, dit Klaus. C'est complètement idiot de parler de « volontaires » et de « complices » quand on est perdu sur une plate-forme littorale quelque part au milieu de l'océan.

– Si j'étais toi, orphelin, répliqua Olaf, j'en serais moins sûr. Où que nous soyons, dis-toi bien, il y a toujours place pour quelqu'un comme moi. (Il se pencha vers Klaus à le toucher presque et le

regarda dans les yeux avec son sourire de requin.)
Ne l'as-tu donc pas encore compris ?

C'était une question peu plaisante, mais les
enfants Baudelaire n'eurent pas à l'examiner car
la silhouette menue approchait, et l'on pouvait
voir à présent qu'il s'agissait d'une fillette, âgée
de six ou sept ans peut-être. Elle allait nu-pieds,
vêtue d'une tunique blanche toute simple, bien
trop immaculée pour sortir d'une tempête. À sa
ceinture pendait un gros coquillage en cône, blanc
aussi, et sur son nez étaient perchées d'énormes
lunettes de soleil qui ressemblaient étonnamment
à celles que les enfants Baudelaire avaient portées
comme grooms d'hôtel. Tout en se précipitant
vers eux, elle souriait jusqu'aux oreilles, mais lorsqu'elle arriva près du groupe, essoufflée d'avoir
tant couru, elle se fit soudain timide. Et les orphelins Baudelaire, bien que curieux de savoir qui elle
était, découvrirent qu'eux aussi avaient perdu leur
langue. Même Olaf ne soufflait mot, trop occupé
qu'il était à admirer son reflet dans une flaque.

Lorsqu'on ne sait que dire face à un inconnu,

le mieux est de suivre le conseil que la mère des enfants Baudelaire leur avait donné un jour, des années auparavant, conseil qu'elle m'avait donné à moi des années plus tôt encore. Je la revois comme si c'était hier, assise sur le petit sofa qu'elle avait dans un coin de sa chambre, ajustant d'une main ses brides de sandale et tenant de l'autre la pomme qu'elle croquait à belles dents. Elle me disait de ne pas me tracasser pour la petite réception mondaine qui débutait au rez-de-chaussée. « Les gens adorent parler d'eux-mêmes, Mr Snicket, m'assurait-elle entre deux bouchées de pomme. Si vous ne savez que dire à l'un des invités, demandez-lui quel code secret il préfère, ou essayez d'apprendre qui il a espionné dernière-ment. » Violette elle-même, les yeux sur la jeune arrivante, croyait entendre la voix maternelle : « Pose-leur des questions, fais-les parler d'eux… »

– Comment t'appelles-tu ? demanda Violette.

La petite tripota son coquillage, puis elle leva les yeux vers l'aînée des Baudelaire et répondit :

– Vendredi.

– Et tu habites sur cette île, Vendredi ? poursuivit Violette.

– Oui, et je suis me suis levée avant tout le monde, ce matin, pour le ramassage d'après-tempête.

– Moisson ? s'enquit Prunille du haut des épaules de sa sœur.

– Chaque fois qu'il vient d'y avoir une tempête, expliqua Vendredi, tout le monde va sur les grèves pour ramasser les choses que la mer a rejetées. On ne sait jamais, quelquefois il y en a qui pourraient resservir. Vous avez été rejetés, vous aussi ?

– En quelque sorte, dit Violette. Nous étions en bateau quand la tempête s'est déclarée. Je m'appelle Violette Baudelaire ; et lui, c'est mon frère Klaus, et elle, notre petite sœur Prunille. (À contrecœur, elle se tourna vers le comte Olaf, qui considérait Vendredi d'un œil aussi noir que soupçonneux.) Et lui, c'est…

– Votre roi, voilà qui je suis ! clama le comte, péremptoire. Incline-toi devant moi, Vendredi.

– Merci, non, dit la petite poliment. Notre colonie n'est pas une monarchie. Vous devez être épuisés après cette tempête, les Baudelaire. Vue d'ici, elle avait l'air si violente que nous ne pensions même pas qu'il y aurait des rescapés cette fois-ci. Vous venez avec moi, qu'on vous donne à manger ?

– Avec plaisir, dit Klaus. Il en arrive souvent, des naufragés, sur cette île ?

Vendredi haussa une épaule.

– De temps à autre. Apparemment, tôt ou tard, tout vient s'échouer sur ces côtes.

– Les côtes d'Olaffia, spécifia Olaf. Cette île, c'est moi qui l'ai découverte, c'est donc à moi de la nommer.

Vendredi considéra le comte un instant derrière ses grandes lunettes noires.

– Je crois que la tempête vous a un peu égaré l'esprit, monsieur, dit-elle, toujours aussi polie. Notre île est habitée depuis très, très longtemps.

– Par des populations primitives, s'obstina le goujat. Je ne vois même pas de constructions, sur votre île.

– Nous vivons sous des tentes, l'informa Vendredi, indiquant les pans de toile blanche gonflés de vent. Nous nous sommes lassés de rebâtir sans arrêt des maisons mises en pièces à chaque saison des tempêtes. D'ailleurs, le reste du temps, il fait si chaud qu'on est bien mieux sous une tente. Au moins, on y a de l'air.

– N'empêche, s'obstina Olaf, vous êtes des primitifs. Et je ne discute pas avec des primitifs.

– Je ne vous forcerai pas, déclara Vendredi. Vous n'avez qu'à me suivre et juger par vous-même.

– Je ne te suivrai pas et mes comparses non plus. Je suis le comte Olaf ; c'est moi qui décide. Pas une petite sotte en boubou !

– Vous n'avez aucune raison de passer aux insultes, comte Olaf, rétorqua Vendredi. Notre île est le seul endroit où aller, donc la question de savoir qui décide est sans aucun intérêt.

Les mâchoires en étau, Olaf pointa son harpon sur la petite.

– Incline-toi devant moi, Vendredi. Sinon, je te préviens : je tire.

Le trio Baudelaire se figea, mais Vendredi se contenta d'un regard réprobateur.

– D'une seconde à l'autre, comte Olaf, dit-elle d'une petite voix posée, tout le monde va descendre ici pour le ramassage. Si vous commettez un acte de violence, attendez-vous à de sérieux ennuis. Veuillez détourner cette arme de moi.

Le comte Olaf ouvrit la bouche comme pour dire quelque chose, puis il la referma et abaissa son arme, déconfit, mot signifiant ici : « l'oreille basse et penaud de devoir obéir aux ordres d'une gamine ».

– Suivez-moi, les Baudelaire, déclara Vendredi.

Et elle ouvrit la marche en direction de l'île.

– Et moi ? demanda le comte Olaf.

Il y avait un petit chevrotement dans sa voix, un chevrotement qui rappelait fort aux enfants Baudelaire le chevrotement surpris naguère dans la voix de gens qui filaient doux devant le comte Olaf, justement. Ce chevrotement, ils l'avaient perçu chez certains de leurs tuteurs et chez Mr Poe, face au comte. Ce chevrotement, ils l'avaient perçu chez divers volontaires évoquant les activités d'Olaf, et même chez ses complices lorsqu'ils discutaient de leur patron. Ce chevrotement, ils l'avaient perçu dans leur propre voix bien des fois, lorsque le fourbe leur avait exposé les coups tordus par lesquels il comptait s'approprier leur héritage. Mais jamais, au grand jamais ils n'avaient imaginé qu'un jour ils surprendraient ce tremblement dans la voix du comte Olaf.

– Et moi ? répéta-t-il.

Mais les trois enfants avaient emboîté le pas à leur jeune guide et, lorsqu'ils se retournèrent, Olaf semblait n'être rien de plus que l'un de ces débris que la tempête avait rejetés sur l'estran.

– Vous ? Disparaissez, répondit Vendredi d'un ton sans réplique.

Alors les trois naufragés se dirent que peut-être – peut-être – ils avaient enfin trouvé un lieu où le comte Olaf n'avait pas sa place.

Chapitre III

– **U**n peu de cordial ? proposa Vendredi d'un ton cordial, la main sur le coquillage qu'elle portait en pendentif à son cou.

– Cordial ! répondit Prunille. En d'autres termes : « Un petit remontant ? C'est de bon cœur, surtout offert de si grand cœur. »

Mais déjà Vendredi, de ses doigts menus, retirait de son coquillage un bouchon, et les enfants virent que le cône de nacre était aménagé en sorte de flacon.

– Vous devez avoir soif, après cette tempête, dit-elle, le leur tendant.

– Oh ! terriblement, reconnut Violette. Mais… l'eau fraîche ne vaut-elle pas mieux, quand on a soif ?

– De l'eau ? dit Vendredi. Il n'y a pas d'eau douce sur cette île. Nous avons une crique d'eau saumâtre où nous faisons la lessive, avec une espèce de petite cascade, et un lagon un peu plus salé, idéal pour la baignade. Mais tout ce que nous buvons, c'est du cordial de coco, fait à partir de lait de coco fermenté.

– Lambic ? s'enquit Prunille.

– Ce que veut dire Vendredi, expliqua Klaus qui avait découvert les principes de la fermentation alcoolique dans un ouvrage viticole de la bibliothèque parentale, c'est que le lait de coco subit un processus chimique qui le rend plus corsé, plus fort.

– Oui, c'est assez fort, admit Vendredi. Mais vous allez voir, c'est bien sucré. Ça va vous enlever le mauvais goût de la tempête.

Tour à tour, chacun des jeunes Baudelaire prit une petite gorgée du breuvage. Comme l'avait annoncé Vendredi, c'était sucré, mais un autre goût perçait sous celui du sucre, un goût piquant et fort qui vous donnait un peu le tournis. Violette et Klaus réprimèrent une grimace en avalant ; la chose vous décapait le gosier au passage. Et à la première gouttelette sur sa langue, Prunille se mit à tousser.

– C'est un peu fort pour nous, avoua Violette, rendant son coquillage à Vendredi.

– Vous vous y ferez, dit gentiment la petite, surtout à force d'en boire à tous les repas. C'est l'une de nos coutumes ici.

– Je vois, dit Klaus, griffonnant une note dans son calepin. Et... quelles autres coutumes avez-vous ?

– Oh ! pas beaucoup, répondit Vendredi avec un regard furtif pour le calepin de Klaus, puis un autre par-dessus son épaule.

Alors les enfants Baudelaire aperçurent de nouvelles silhouettes blanches au loin, qui s'éparpillaient sur la grève et examinaient les épaves, les retournant pour mieux voir.

– Par exemple, reprit Vendredi, chaque fois qu'il vient d'y avoir une tempête, nous faisons un grand ramassage de tout ce qu'a rejeté la mer et nous apportons la récolte à un vieux monsieur qui s'appelle Ishmael. Ishmael est sur l'île depuis très, très longtemps, plus longtemps qu'aucun de nous. Il s'est blessé les pieds, je ne sais pas quand exactement, mais en tout cas il les tient emmaillotés dans de l'argile de l'île, qui a des vertus curatives. Ishmael ne peut même pas tenir debout, mais c'est lui notre facilitateur.

– Dégripp ? s'enquit Prunille.

– Quelque chose dans ce genre, répondit son frère. En gros, un facilitateur, c'est quelqu'un qui aide les autres à prendre des décisions.

Vendredi acquiesça.

– Oui, par exemple c'est lui qui dit, en examinant ce qu'on a ramassé, ce qui pourrait nous être utile et ce qui sera pour les moutons.

Violette plissa le front.

– Moutons ? Vous avez des moutons ?

– Il y a très, très longtemps, expliqua Vendredi, un troupeau de moutons a été rejeté sur la côte – des moutons sauvages. Ils parcourent l'île à leur guise, sauf quand nous avons besoin d'eux pour traîner le rebut jusqu'au dépotoir de l'arboretum, sur la face cachée du morne, là-bas, à l'autre bout de l'île.

– Mornoretum ? interrogea Prunille.

– Un morne, lui dit Klaus, c'est une sorte de petite montagne isolée, ronde. La grosse colline que tu vois là-bas, je parie – c'est bien ça, Vendredi ? Et un arboretum, c'est un parc botanique, avec une collection d'arbres plutôt rares.

– Sauf que le nôtre n'a qu'un seul arbre, rectifia Vendredi. Très, très, très grand et très, très, très vieux ; un pommier rare, je crois.

– Parce que tu ne l'as jamais vu ? s'étonna Violette. Tu n'es jamais allée là-bas ?

– Personne ne va jamais à l'autre bout de l'île, assura Vendredi. Et surtout pas sur la face cachée du morne. Ishmael dit que c'est bien trop dangereux, avec toutes les saletés amassées depuis le temps. Et personne ne cueille jamais les pommes amères du pommier, personne ne les mange – sauf le jour de la Décision.

– Fête ? demanda Prunille.

– Une sorte de fête, oui, quelque chose comme ça. Une fois l'an, il y a une grande marée ici. L'eau monte très haut sur les grèves, là où elle ne monte jamais d'habitude. C'est le seul jour où il y a assez de fond pour lancer un bateau depuis l'île. Tout au long de l'année, nous bâtissons un immense canoë et, le jour de la grande marée, nous avons un banquet, suivi d'un spectacle amateur – participe qui veut. Et, à la fin du spectacle, quiconque souhaite quitter la colonie croque une bouchée de pomme amère et la recrache par terre, avant de monter dans le canoë et de nous faire ses adieux.

– Berk, fit la benjamine des Baudelaire, imaginant une foule de gens recrachant à qui mieux mieux de la pomme à moitié mâchouillée.

– Il n'y a pas de quoi faire berk, s'assombrit Vendredi. C'est la plus importante coutume de la colonie.

– Ça doit être une fête merveilleuse, dit Violette.

Et, d'un regard sévère, elle rappela à sa cadette qu'il est impoli de tordre le nez sur les coutumes d'autrui.

– Très belle, confirma Vendredi. Naturellement, il est rare que des gens quittent l'île. Depuis ma naissance, personne ne l'a fait. En réalité, nous nous contentons de mettre le feu au canoë et de le pousser bien fort à la mer. Un grand canoë en flammes qui disparaît à l'horizon, c'est magnifique.

– J'imagine, dit Klaus qui en avait intérieurement la chair de poule. Mais… ce n'est pas un peu dommage de bâtir un grand canoë, si c'est pour le brûler ensuite ?

– Ça occupe, déclara Vendredi avec un petit haussement d'épaules. Il n'y a pas grand-chose à faire, ici. Attraper du poisson, préparer les repas, laver le linge… Tout ça laisse beaucoup de temps libre.

– Carême ? s'enquit Prunille émoustillée.

– Notre petite sœur est un fin cordon-bleu, traduisit Klaus. Je suis sûr qu'elle sera ravie si elle peut aider aux fourneaux.

Vendredi s'épanouit d'un bref sourire énigmatique.

– Ah bon ? dit-elle, plongeant les mains dans les grandes poches de sa tunique. Encore une goutte de cordial ?

Les trois enfants déclinèrent l'offre d'un hochement de tête.

– Non merci, dit Violette. C'est gentil, mais non.

– Ishmael dit toujours qu'il faut être gentil avec les gens, assura Vendredi. Sauf avec ceux qui ne sont pas gentils. C'est pour ça que j'ai repoussé cet affreux comte Olaf. Vous étiez avec lui ?

Les jeunes Baudelaire se consultèrent du regard. D'un côté, Vendredi leur inspirait confiance. D'un autre côté, un peu comme le cordial qu'elle offrait, sa description de l'île n'était pas que douceur. Les coutumes de la colonie semblaient strictes et les trois enfants, bien que soulagés de n'avoir plus Olaf sur le dos, ne pouvaient s'empêcher de trouver un peu cruel de le repousser ainsi sur une grève déserte – même si, assurément, il en eût fait autant pour eux à la première occasion. Bref, ils s'interrogeaient : leur fallait-il vraiment avouer qu'ils étaient arrivés là par le même bateau que le scélérat ? Et si Vendredi les repoussait, eux aussi ?

Il y eut un instant de flottement, puis Klaus se souvint d'une réplique lue dans un roman dont les personnages étaient d'une infinie politesse.

– Nous, avec lui ? Affaire de point de vue, dit-il, enchanté d'avoir retrouvé la formule – idéale, il faut l'avouer, pour répondre courtoisement tout en éludant la question.

Vendredi lui jeta un petit regard intrigué, mais les quatre enfants atteignaient le haut de l'estran. À la grève caillouteuse succédait une plage en pente douce au sable très fin et si blanc que le vêtement de Vendredi en devenait presque invisible, suivie d'une dune herbeuse au flanc de laquelle reposait un long canoë, fait de branchages et de feuilles et apparemment presque achevé, comme si le jour de la Décision était proche. Un peu plus loin se dressait une immense tente blanche, plus longue qu'un bus de ramassage scolaire. Les enfants Baudelaire suivirent Vendredi à l'intérieur et eurent la surprise de constater qu'elle était emplie de moutons qui somnolaient au sol, leurs pattes repliées sous eux. À mieux y regarder, on découvrait qu'ils étaient attachés entre eux par de la grosse corde élimée – et qu'au milieu d'eux trônait un vieil homme qui semblait sourire à travers une barbe encore plus blanche et drue que la toison des moutons. Il était assis sur un énorme siège apparemment façonné d'argile blanche, et deux petits monticules d'argile s'élevaient à l'emplacement de ses pieds. Sa tunique ressemblait beaucoup à celle de Vendredi et il portait à la ceinture un coquillage presque identique. Sa voix, lorsqu'il la fit entendre, n'était pas moins cordiale que celle de Vendredi.

– Tiens, tiens ! Qu'avons-nous ici ? dit-il avec un grand sourire pour le trio Baudelaire.

– Trois naufragés que j'ai trouvés sur la grève, annonça fièrement Vendredi.

– Bienvenue, naufragés, déclara Ishmael. Pardonnez-moi si je reste assis, mais mes pieds me font cruellement souffrir aujourd'hui ; je les confie donc à notre bienfaisante argile. Enchanté de faire votre connaissance.

– Enchantés nous aussi, Ishmael, répondit Violette, qui se rappelait avoir entendu dire que les vertus curatives de l'argile étaient loin d'être scientifiquement prouvées.

– Appelez-moi Ish, dit le vieil homme. Et comment dois-je vous appeler ?

– Violette, Klaus et Prunille Baudelaire, récita Vendredi de sa voix acidulée, sans laisser au trio le temps d'ouvrir la bouche.

– Baudelaire ? répéta Ishmael, un sourcil en l'air.

Il se tut, moins jovial soudain, et considéra le trio le temps d'une longue gorgée de cordial. Puis il rajusta le coquillage à sa ceinture et le sourire lui revint.

– Voilà un bout de temps que nous n'avions pas eu de nouveaux venus, reprit-il. Jeunes naufragés, vous êtes conviés à rester sur cette île aussi long-temps qu'il vous plaira, sauf bien sûr si vous n'êtes pas gentils.

– Merci, dit Klaus, le plus gentiment qu'il put. Vendredi nous a déjà un peu parlé de votre île. Tout a l'air très intéressant.

– Affaire de point de vue, commenta Ishmael. Cela dit, si vous souhaitez partir, sachez que c'est possible, mais seulement une fois l'an. Le reste du temps, l'eau ne monte pas assez haut sur nos grèves pour permettre le lancement d'un bateau. En attendant, Vendredi, si tu les conduisais dans une tente, qu'ils puissent se changer ? Nous avons sûrement des tuniques à votre taille, ajouta-t-il pour les trois enfants.

– Nous changer ne sera pas de refus, dit Violette. Avec cette tempête, nos tenues de groom sont encore trempées.

– Je n'en doute pas, dit Ishmael, triturant une mèche de sa barbe. De plus, nous avons coutume de ne porter que du blanc, en harmonie avec notre sable, avec l'argile guérisseuse du lagon et avec la laine de nos moutons sauvages. Vendredi, je suis surpris que tu aies choisi de faire une entorse à la tradition.

Vendredi, rougissante, effleura d'une main les lunettes noires perchées sur son nez.

– Je les ai trouvées sur la grève, balbutia-t-elle. Le soleil est tellement aveuglant, ici… Je me suis dit que, peut-être…

– Je ne veux pas te forcer, répondit Ishmael d'un ton égal, mais il me semble que te conformer à la coutume vaudrait mieux que de te singulariser avec cet accessoire voyant et d'une bien vilaine couleur.

– Oui, Ishmael, dit Vendredi, contrite.

Et elle retira ses lunettes d'une main, tout en fourrant l'autre main, vivement, au fond de l'une de ses grandes poches.

– Voilà qui est mieux, se réjouit Ishmael – et, à nouveau, il sourit aux enfants Baudelaire. J'espère que vous vous plairez sur notre île. Nous sommes tous d'anciens naufragés, ici. Des rescapés d'une tempête ou d'une autre. Plutôt que de regagner nos terres natales, nous avons créé une colonie, loin du monde et de ses perfidies.

– Il y avait quelqu'un de perfide avec eux, précisa Vendredi de sa voix fluette. Comte Olaf, il s'appelait. C'était un vilain bonhomme, alors je lui ai défendu de nous suivre.

– Olaf ? répéta Ishmael, et ses deux sourcils s'envolèrent. Serait-ce un ami à vous ?

– Riskepa, dit Prunille.

– Lui ? Que non ! s'empressa de traduire Violette. Pour être francs, voilà pas mal de temps que nous essayons de lui échapper.

– C'est un triste personnage, dit Klaus.

– Mismo barco, compléta Prunille.

– Hmmm, fit Ishmael, pensif. Est-ce bien là toute l'histoire, enfants Baudelaire ?

Les trois enfants s'entre-regardèrent. Assurément, en quelques phrases, ils n'avaient pas résumé toute l'histoire. Il y en avait trop long à dire et, s'ils

avaient fait pour Ishmael le récit complet de leurs
démêlés avec Olaf, le vieil homme en aurait sans
doute versé tant de larmes que l'argile à ses pieds
aurait fondu jusqu'à lui dénuder les orteils, sans
parler de l'argile de son siège. Certes, ils auraient
pu narrer toutes les ignominies olaffiennes, de l'as-
sassinat de l'oncle Monty à la fin sordide de
Madame Lulu au parc Caligari Folies. Ils auraient
pu décrire les déguisements du comte, de la fausse
jambe de bois du soi-disant capitaine Sham au
turban du faux prof de gym du collège Prufrock.
Ils auraient pu fournir la liste complète de ses
affidés et complices, de son ex-fiancée Esmé à ces
deux dames farinées de blanc qui l'avaient quitté
sans préavis, et passer en revue tous les mystères
non résolus qui les tenaient en éveil la nuit, de la
disparition brutale du capitaine Virlevent à
l'énigme de la grotte sous-marine, sans oublier
cet étrange chauffeur de taxi qui les avait abordés,
de nuit, au pied de l'hôtel Dénouement. Et, bien
évidemment, ils auraient pu remonter à ce sinistre
jour, sur la plage de Malamer, où ils avaient appris

qu'ils venaient de perdre leurs parents. Mais s'ils avaient tout dit à Ishmael, s'ils lui avaient raconté toute l'histoire, alors ils auraient dû mentionner aussi des passages qui les présentaient tous trois sous un jour moins favorable, expression signifiant ici : « avouer certaines choses qu'ils avaient faites et qui étaient peut-être aussi scélérates que les machinations d'Olaf ». Ils auraient dû mentionner leurs propres fourberies, comme creuser une fosse pour y piéger Esmé ou mettre le feu à l'hôtel Dénouement. Ils auraient dû mentionner qu'eux aussi s'étaient déguisés pour tromper le monde, par exemple en monstres de foire, en scouts des neiges. Ils auraient dû mentionner certaines personnes avec qui ils s'étaient liés, telle Fiona, à bord du *Queequeg*, qui n'était peut-être pas quelqu'un de bien recommandable non plus, pour finir. Oui, si les jeunes Baudelaire avaient raconté toute l'histoire, qui sait si Ishmael ne les aurait pas jugés aussi scélérats qu'Olaf ? Or les trois enfants ne voulaient pas se faire rejeter sur les grèves, parmi les épaves et débris. Ils voulaient trouver refuge contre les coups bas et les perfidies, même si les coutumes de l'île n'étaient pas tout à fait à leur goût. Aussi, plutôt que de raconter toute l'histoire, se contentèrent-ils de donner au vieil homme la réponse la plus sûre qui leur vint à l'esprit.

– Affaire de point de vue, dit Violette.

Et ses cadets opinèrent du chef énergiquement.

– Fort bien, conclut Ishmael. Maintenant, allez vite revêtir ces tuniques, enfants Baudelaire. Et, lorsque vous serez changés, veuillez remettre toutes vos vieilles possessions à Vendredi, que nous puissions aller les jeter au dépotoir de l'arboretum.

– Tout ? s'alarma Klaus.

– Occulaklaus ? demanda Prunille.

Ce que Violette se hâta de traduire :

– Même les lunettes de Klaus ? Sans ses lunettes, il peut à peine lire.

Une fois de plus, les sourcils d'Ishmael s'envolèrent.

– Lire ? dit-il avec un coup d'œil de biais vers Vendredi. De toute manière, il n'y a rien à lire, ici. Pas de bibliothèque, pas de journaux. Mais bon, passons pour les lunettes, qui sont sans doute utiles. Et maintenant, allez vite, jeunes Baudelaire. À moins que vous ne vouliez une gorgée de cordial ?

– Non merci, répondit Klaus, se demandant à quelle fréquence on allait leur proposer cet étrange breuvage fort et sucré. Nous y avons déjà goûté, et… nous ne sommes pas très sûrs d'aimer.

– Je ne vous forcerai pas, dit Ishmael une fois de plus. Mais la première impression n'est pas toujours la bonne ; il est des choses auxquelles on se fait. À bientôt, enfants Baudelaire.

Il les congédia d'un petit au revoir de la main, et les trois enfants le lui rendirent avant de suivre Vendredi hors de la grande tente, puis sur la pente de sable et d'herbe où d'autres tentes de toile blanche frémissaient dans la brise du matin.

– Choisissez celle que vous voudrez, leur dit Vendredi. Nous changeons de tente tous les jours – à part Ishmael, à cause de ses pieds.

– Ça ne fait pas un peu bizarre, dit Violette, de dormir chaque nuit dans un lieu différent ?

– Affaire de point de vue, répondit Vendredi, portant son coquillage à ses lèvres. Je n'ai jamais dormi autrement.

– Tu as toujours habité sur cette île ? demanda Klaus.

– Toujours. Mon père et ma mère étaient en croisière alors que ma mère m'attendait, et ils ont essuyé une terrible tempête. Mon père a été dévoré par un lamantin, ma mère a été rejetée à la côte sur cette île. Et moi avec, donc. Un peu avant ma naissance. Dépêchez-vous, s'il vous plaît, que vous puissiez vous changer bien vite.

– Presto, promit Prunille.

Alors Vendredi, sortant la main de sa poche, serra celle de la toute-petite. Puis les enfants Baudelaire entrèrent dans la tente la plus proche, où une pile de tuniques propres et bien pliées, d'un peu toutes les tailles, attendait dans un angle. Ils eurent tôt fait d'en enfiler chacun une, pas fâchés de se dépiauter de leurs tenues de groom

encore tout humides et raides de sel. Mais lorsqu'ils en eurent terminé, ils contemplèrent sans
mot dire le petit tas de nippes à leurs pieds. Il leur
semblait étrange de revêtir l'habit du lieu, expression signifiant ici : « s'envelopper de la tenue
chaude et confortable, quoique pas particulièrement flatteuse, qui était le costume traditionnel
de gens qu'ils connaissaient à peine ». Ils avaient
l'impression, ce faisant, de rejeter tout leur passé,
tout ce qui leur était arrivé avant de mettre les
pieds sur cette île. Leurs habits, bien évidemment,
ne résumaient pas leur histoire – ce n'est le cas
pour personne, jamais, sauf peut-être pour Esmé
d'Eschemizerre, dont les tenues abjectes et outrancièrement « tendance » résumaient combien elle
était elle-même abjecte et outrancièrement « tendance ». Mais les trois enfants ne pouvaient
chasser cette impression qu'ils se dépouillaient là
de leur vie antérieure pour endosser une vie
inconnue, sur cette île aux coutumes étranges.

– Pas question de jeter ce ruban, dit soudain
Violette à mi-voix, entortillant autour de ses doigts

la mince lanière de plastique rose. Je compte bien continuer d'inventer des choses, qu'Ishmael le veuille ou non.

– Pas question de jeter mon calepin, dit Klaus à son tour, serrant contre lui le carnet bleu nuit. Je compte bien continuer de faire des recherches, même s'il n'y a pas de bibliothèque ici.

– Pajette, dit Prunille, brandissant sous le nez de ses aînés un petit objet de métal.

C'était un modeste ustensile constitué d'un manche court, parfait pour une main menue, surmonté d'un petit bouquet de fils métalliques recourbés en boucle.

– C'est quoi, ça ? demanda Violette, si surprise qu'elle en oubliait de parler comme l'eût souhaité tante Agrippine.

– Fouet, répondit Prunille.

Et elle disait vrai. Il s'agissait bien d'un petit fouet de cuisine, ustensile infiniment précieux pour battre des œufs en neige, blanchir un mélange de sucre et d'œuf ou, plus généralement, obtenir une mousse, une pâte légère. Et la benjamine des Baudelaire était ravie d'avoir cet objet en sa possession.

– Mais oui ! dit Klaus, je me souviens. Père en utilisait un pour préparer les œufs brouillés. Mais d'où sort-il ?

– Vendredi, résuma Prunille.

– Elle sait que Prunille aime cuisiner, dit Violette. Et elle le lui a glissé en cachette, sans doute parce que Ishmael risquait de le lui faire jeter.

– Hmm, fit Klaus. Vendredi ne tient pas tant que ça à se plier aux coutumes de l'île, j'ai l'impression.

– Pression, approuva Prunille.

Et elle enfonça le fouet dans l'une des grandes poches de sa tunique. Klaus fit de même pour son calepin, Violette pour son ruban, puis tous trois gardèrent le silence un instant, partageant leurs secrets en poche. Ils se sentaient un peu gênés de faire des cachotteries à la barbe de gens qui les accueillaient si gentiment, de même qu'ils s'étaient sentis gênés de ne pas tout dire à

Ishmael. Mais ils ne voyaient pas comment faire autrement.

Ruban, calepin et fouet à œufs ainsi engloutis par leurs tuniques – comme la mer engloutit un sous-marin ou la figure de proue d'un bateau –, les trois enfants sortirent de la tente et, à chacun de leurs pas, leurs secrets engloutis venaient frapper leur hanche à travers la laine blanche.

Le mot « fermenter », comme le mot « cordial », peut prendre divers sens. Dérivé d'un verbe latin signifiant « bouillir », il se rapporte à un processus de transformation chimique, telle la fermentation alcoolique – sorte de bouillonnement qui donne à certains jus sucrés une saveur surprenante et forte, ainsi que l'avait expliqué Klaus à ses sœurs après leur première gorgée de cordial. Mais il existe d'autres fermentations, nées d'autres ferments, ferment de jalousie, ferment de discorde, ferment de révolte... En pareil cas, ce sont les esprits qui fermentent, les idées, les passions. C'est dans l'intimité des êtres que s'opère la transformation, et elle débute sans bruit, frémissant à peine, longtemps avant le bouillonnement final. Ce jour-là, les enfants Baudelaire, rejoignant Vendredi pour lui remettre les dépouilles de leurs vies antérieures, sentaient leurs secrets cumulés commencer de fermenter en eux, sourdement, à la dérobée. Et, tout en redescendant avec elle la pente sablonneuse et douce aux pieds, ils se demandaient quoi d'autre encore pouvait fermenter en cachette sur cette curieuse île où ils venaient de trouver refuge.

Chapitre IV

De retour à la tente d'Ishmael, les enfants eurent la surprise de la trouver noire de monde, expression signifiant ici : « fourmillant de gens en tunique blanche, les bras chargés du bric-à-brac récolté sur les grèves ». Les moutons tirés de leur sieste s'alignaient, debout sur leurs pattes raides, en deux longues rangées parallèles, et les cordes qui les attelaient étaient reliées à un immense traîneau de bois, véhicule inattendu en ce lieu sans neige.

Le trio Baudelaire dans son sillage, Vendredi ouvrit la voie à travers colons et moutons, tous dévorant des yeux les nouveaux naufragés.

Parfaits novices en tant que naufragés, les trois enfants, en revanche, avaient déjà été nouveaux venus dans une communauté. Mais à vrai dire l'expérience acquise, tant au collège Prufrock qu'à Villeneuve-des-Corbeaux, ne rendait guère plus plaisante cette sensation d'avoir tous les regards braqués sur soi. Car c'est l'une des étranges vérités de l'existence : alors que personne ou presque n'apprécie de se faire lorgner, personne ou presque ne peut s'interdire de lorgner une nouvelle tête. La tentation est tellement forte que les trois enfants eux-mêmes, tout en progressant vers Ishmael sur son trône d'argile, ne pouvaient se retenir de lorgner les îliens au passage, se demandant comment tant de naufragés avaient pu s'échouer sur la même île. C'était à croire que le monde regorgeait de gens aussi infortunés qu'eux-mêmes et que tous finissaient là.

Vendredi mena les trois enfants au pied même du siège d'Ishmael et le facilitateur, souriant dans sa barbe, leur fit signe de s'asseoir près de ses pieds enrobés d'argile.

– Ces tuniques blanches vous vont fort bien, enfants Baudelaire, les salua-t-il. Beaucoup mieux que ces uniformes que vous portiez. Vous allez faire de merveilleux colons, j'en suis sûr.

– Pyrrhon, dit Prunille ; ce qui signifiait en substance : « Qu'en savez-vous ? L'habit ne fait pas le moine. »

Mais Violette choisit de ne pas traduire et, se rappelant que la gentillesse était appréciée sur cette île, elle opta pour quelque chose de gentil à la place.

– Nous vous sommes très reconnaissants, dit-elle, attentive à ne pas s'appuyer sur les monticules qui masquaient les orteils d'Ishmael. Vous ne pouvez savoir à quel point. Nous nous demandions vraiment ce que nous allions devenir, après cette tempête. Merci, Ishmael, pour cet accueil chaleureux.

– Tout le monde est accueilli à bras ouverts, ici, dit Ishmael, semblant oublier qu'Olaf avait été repoussé. Et je vous en prie, appelez-moi Ish. Un peu de cordial ?

– Non merci, dit Klaus, qui se voyait mal appeler de son petit nom ce vieillard respectable. Euh, nous aimerions faire la connaissance des autres colons, si c'était possible.

– Mais naturellement, s'écria Ishmael, et il frappa dans ses mains. Îliens ! Comme vous l'avez sûrement remarqué, nous avons aujourd'hui trois nouveaux naufragés : Violette, Klaus et Prunille, seuls survivants de la tempête de la nuit passée. Je ne veux pas vous forcer, mais que diriez-vous de vous présenter à mesure que vous m'apporterez vos épaves afin de recueillir mes suggestions ?

– Bonne idée, Ishmael, lança quelqu'un au fond de la tente.

– Appelle-moi Ish, dit Ishmael, se lissant la barbe. Bien, qui commence ?

– Moi, annonça un barbu à la mine joviale, tenant dans ses bras ce qui ressemblait à une grosse fleur d'acier. Enchanté, vous trois. Je m'appelle Alonso et j'ai trouvé cette hélice d'avion de tourisme. Le malheureux pilote a dû voler droit dans la tempête.

– Hélas pour lui, commenta Ishmael. Cela dit, faute d'avion sur notre île, je ne vois pas très bien quel usage nous pourrions avoir de cet ustensile.

– Si je peux me permettre… hésita Violette. Je m'y connais un peu en mécanique. Il suffirait de relier cette hélice à un simple moteur à manivelle, et nous aurions un ventilateur parfait pour les jours de canicule.

Un murmure approbateur parcourut l'assistance. Alonso, radieux, se tourna vers Violette.

– Bonne idée ! dit-il. Parce que la canicule, nous autres, on connaît.

Mais Ishmael prit une gorgée de cordial, il regarda l'hélice d'un œil sombre et laissa tomber :

– Affaire de point de vue. Un unique ventilateur, je vois déjà les bisbilles sans fin pour savoir qui pourra se planter devant.

– Ce serait chacun son tour, suggéra Alonso.

– Ah oui ? Et le tour de qui, au juste, le jour le plus torride de l'année ? ironisa Ishmael. Je ne veux pas te forcer, Alonso, mais je doute qu'un ventilateur vaille le tintouin qui risque d'en résulter.

– Sans doute pas, céda Alonso. Allez hop ! aux moutons.

Et il balança l'hélice sur le traîneau.

– Excellente décision, commenta Ishmael.

Mais déjà une grande fille s'avançait, d'un ou deux ans plus âgée que Violette.

– Je suis Ariel, dit-elle. Voilà, j'ai trouvé ceci sur la grève. Ça m'a tout l'air d'une dague.

– Une dague ? dit Ishmael. Tu sais que les armes ne sont pas les bienvenues sur cette île.

L'objet, observait Klaus, était de petite taille, entièrement en bois et finement sculpté. Le garçon n'y tint pas.

– Je ne crois pas que ce soit une dague, dit-il. Plutôt un ustensile utilisé naguère pour couper les pages d'un livre. Un coupe-papier, ça s'appelait. De nos jours, la plupart des livres sont vendus avec les pages déjà séparées, mais dans le temps les pages étaient attachées entre elles, donc il fallait un instrument équipé d'une lame fine – en bois, en os, en corne – qu'on glissait entre les pages pour couper le papier.

– Intéressant, dit Ariel.

– Affaire de point de vue, déclara Ishmael. Je ne vois vraiment pas à quoi servirait cet objet ici. Jamais la tempête n'a déposé un livre sur nos grèves ; l'eau et les vagues les mettent en pièces avant.

Malgré lui, Klaus palpa son calepin au fond de sa poche.

– On ne sait jamais, hasarda-t-il. Un livre pourrait quand même venir s'échouer ici. À mon avis, cet ustensile est à conserver, il pourrait avoir son utilité.

Ishmael poussa un soupir appuyé, les yeux sur Klaus, puis sur l'adolescente qui avait trouvé le coupe-papier.

– Bon, dit-il. Je ne veux pas te forcer, Ariel. Mais si j'étais toi, je me débarrasserais de cet objet ridicule.

– C'est le mieux, je pense, murmura Ariel.

Et, avec un petit geste d'impuissance à l'intention de Klaus, elle déposa le coupe-papier sur le traîneau, à côté de l'hélice.

Un gros monsieur ventru au visage boucané lui succéda aussitôt.

– Moi, c'est Sherman, dit-il avec une courbette pour les orphelins. Et j'ai trouvé… une râpe à fromage. Même que j'ai failli y laisser un doigt, en l'extirpant d'un repaire de crabes !

– Ce qui n'en valait pas la peine, décréta Ishmael. Nous n'avons que faire d'une râpe à fromage, puisque nous n'avons pas de fromage.

– Râpe coco, intervint Prunille. Gâteau.

– Gâteau ? s'écria Sherman. Morbleu ! ce ne serait pas de refus. Nous n'avons pas eu de dessert une seule fois depuis que je suis ici.

– Le cordial de coco vaut tous les desserts, assura Ishmael, portant son coquillage à ses lèvres. Sans vouloir te forcer, Sherman, il me semble que cette râpe n'a rien à faire ici.

Sherman but une gorgée de cordial de son côté, puis il acquiesça, les yeux sur ses orteils.

– Bien, dit-il seulement.

Le restant de la matinée se déroula sur le même mode. Tour à tour, chacun des îliens se présentait et exhibait sa ou ses trouvailles, et chaque fois ou presque le facilitateur le dissuadait de conserver la chose – toujours sur un ton d'infinie sagesse, même et surtout lorsque la sagesse de l'avis rendu prêtait à contestation. Un barbu du nom de Robinson avait trouvé un bleu de travail, mais Ishmael lui rappela que le costume du colon était la tunique blanche – au grand regret de Violette, qui se serait bien vue enfiler ce bleu de chauffe pour bricoler, de peur de salir sa tunique. Une vieille femme nommée Erewhon montra une paire de skis, immédiatement déclarée sans intérêt par Ishmael, alors que Klaus avait lu des récits de traversée à ski d'immenses étendues de boue et de sable. Une jolie rousse nommée Weyden présenta une essoreuse à salade, mais Ishmael fit observer que les seules salades consommées sur l'île étaient des algues rincées à l'eau du lagon puis mises à sécher au soleil, de sorte qu'il n'était nul besoin d'essorage – au grand dépit de Prunille, qui salivait à la pensée de certain amuse-gueule à la noix de coco préparé à l'aide d'une essoreuse à salade.

Ferdinand proposa un canon de cuivre, qu'Ishmael condamna de peur des accidents, et Larsen une tondeuse à gazon, dont Ishmael fit valoir qu'elle était loin d'égaler les moutons. Omeros, qui devait avoir l'âge de Klaus, avait trouvé un jeu de cinquante-deux cartes complet dans son bel étui, mais Ishmael le convainquit que la passion du jeu était une calamité, et les cartes à jouer finirent sur le traîneau des moutons, à côté d'une vieille machine à écrire découverte par une

jeune Finn et décrétée par Ishmael inutilisable,
faute de papier. Brewster avait trouvé une fenêtre
au vitrage miraculeusement intact, mais Ishmael
eut beau jeu d'arguer qu'il n'était nul besoin de
fenêtre pour admirer les vues de l'île et, lorsque
Calypso exhiba une porte en chêne ouvragé,
Ishmael ne manqua pas de souligner que les tentes
de l'île se passaient de portes. Byam, dont la moustache rebiquait élégamment, se défit sans regret
apparent d'une poignée de piles électriques, et
Willa, qui avait la tête étonnamment grosse, se
départit gaiement d'un tuyau de jardin tout couvert de balanes. Mr Pitcairn offrit aux moutons,
ou plutôt à leur traîneau, une petite commode
Empire, Ms Marlow le fond d'une barrique, le
Dr Kurtz un plateau d'argent, le professeur
Fletcher un chandelier. Madame Nordoff à son
tour se délesta d'un damier, et Mr Bligh, rabbin
de son état, admit que l'île n'avait pas l'usage d'une
grande cage à oiseaux de style rococo. Les seules
épaves jugées bonnes pour le service furent trois
ou quatre filets de pêche, bienvenus pour renou-

veler le parc existant, ainsi qu'une ou deux couvertures dont Ishmael fut d'avis que, laissées au soleil le temps qu'il faudrait, elles finiraient par devenir blanches. Pour couronner le tout, un frère et une sœur nommés Jonah et Sadie Bellamy traînèrent à eux deux la coque de bois à bord de laquelle les enfants Baudelaire étaient arrivés, sans sa figure de proue mais avec la plaque indiquant : *Comte Olaf.* Cependant la colonie avait pour ainsi dire achevé de construire le canoë destiné au jour de la Décision, et les jeunes Bellamy se laissèrent persuader de hisser l'épave sur le traîneau, sans discussion ou presque.

Alors les moutons, à pas lents, halèrent le chargement hors de la tente, puis ils entamèrent la montée de la dune, en route pour l'autre bout de l'île et pour le dépotoir invisible, sur le versant caché du morne. Et les îliens prirent congé afin d'aller se laver les mains, à la suggestion d'Ishmael, en vue du repas de midi. Bientôt il n'y eut plus sous la grande tente qu'Ishmael, les enfants Baudelaire et Vendredi qui les avait amenés là –

un peu comme si les trois orphelins étaient eux-mêmes des épaves recueillies après la tempête et attendant le verdict.

– Sacré coup de chien, n'est-ce pas ? dit Ishmael après un silence. La mer nous a apporté encore un peu plus de cochonneries que d'habitude.

– Pas d'autres naufragés ? s'enquit Violette.

– Tu songes à ce comte Olaf ? crut deviner Ishmael. Jamais il n'osera mettre les pieds sur l'île, pas après ce que lui a dit Vendredi. À l'heure qu'il est, soit il erre sur les grèves, soit il essaie de repartir à la nage et grand bien lui fasse !

Les enfants échangèrent un regard. À leur avis, Olaf était plutôt en train de mijoter quelque mauvais coup. Et plus fâcheux encore était le fait qu'aucun des îliens n'avait trouvé la figure de proue, ni le casque de scaphandrier dans lequel dormaient les spores de la fausse golmotte médusoïde.

– Ce n'est pas tellement à lui que nous pensons, dit Klaus. Mais nous avons des amis qui pourraient bien avoir été pris dans cette tempête, aussi : une femme enceinte nommée Kit Snicket, qui devait se trouver dans un sous-marin avec des confrères à elle, et un groupe de personnes qui voyageaient dans les airs.

Ishmael fronça les sourcils et prit une gorgée de cordial.

– Pas trace de ces gens-là, dit-il. Mais ne désespérez pas, enfants Baudelaire. Il semble bien que, tôt ou tard, tout finisse sur nos côtes. Et peut-être leurs engins n'ont-ils pas été touchés par la tempête.

– Quiza, dit Prunille, repoussant l'idée que peut-être ils n'avaient pas eu cette chance.

– D'un autre côté, ils pourraient fort bien arriver dans un jour ou deux. Une autre tempête approche.

– Comment le savez-vous ? dit Violette. Vous avez un baromètre, sur l'île ?

Dans un musée des Inventions qu'elle avait visité, enfant, elle avait admiré toute une collection de baromètres, ces instruments à mesurer la pression atmosphérique qui sont l'un des moyens de prédire le temps.

– Pas besoin de baromètre, assura Ishmael. Je sais qu'une tempête se prépare, c'est tout.

– Mais qu'est-ce qui vous le fait dire ? insista Klaus. J'ai lu qu'il était très difficile de prédire le temps sans instruments perfectionnés.

– Nous n'avons que faire ici d'instruments perfectionnés, soutint Ishmael. Je prédis le temps par magie.

– Coxigru, dit Prunille.

En d'autres termes : « Je demande à voir. » Et ses aînés opinèrent discrètement. Les enfants Baudelaire, par principe, ne croyaient pas à la magie, malgré certain tour de cartes proprement médusant que leur mère avait parfois accepté d'exécuter sous leurs yeux, naguère. Comme tous ceux qui ont roulé leur bosse – et les trois enfants avaient roulé la leur, bon gré, mal gré –, ils avaient eu affaire à quantité de phénomènes inexpliqués, des diaboliques techniques d'hypnose du Dr Orwell à la façon dont une certaine Fiona avait brisé le cœur de Klaus en un tour de passe-passe. Et cependant jamais, jamais ils n'avaient été tentés de chercher à ces mystères des explications surnaturelles. Certes, il arrive à chacun, au cœur de la nuit, de croire soudain à des choses bizarres et sans interprétation logique ; mais on était en début d'après-midi, et les trois enfants refusaient tout simplement de voir en Ishmael un grand sorcier météorologue. Leurs doutes durent transparaître sur leurs traits, car le facilitateur fit alors ce que font la plupart des gens lorsqu'ils constatent qu'on ne les croit pas : il changea de sujet.

– Et toi, Vendredi ? s'informa-t-il. N'as-tu rien trouvé, cette fois, mis à part nos naufragés et ces hideuses lunettes de soleil ?

Vendredi coula un regard furtif vers Prunille, puis elle fit non de la tête.

– Absolument rien, dit-elle, catégorique.

– En ce cas, va aider ta mère à préparer le repas, veux-tu ? Il faut que je parle à nos nouveaux venus.

– Je ne peux pas rester ici, plutôt ? pria Vendredi. J'aimerais mieux.

– Je ne veux pas te forcer, dit Ishmael, mais je suis sûr que ta mère a besoin d'un coup de main.

Sans un mot, la petite tourna les talons et sortit de la tente, laissant les enfants Baudelaire seuls avec le guide de la colonie, qui tout aussitôt se pencha vers eux pour leur parler à mi-voix.

– Enfants Baudelaire, dit-il, je suis votre facilitateur, et en tant que tel permettez-moi de vous donner un conseil, pour vos débuts sur cette île.

– Oui ? murmura Violette.

Ishmael jeta un regard circulaire, comme si les murs de toile blanche frémissant au vent pouvaient avoir des oreilles. Puis il reprit une gorgée de cordial et fit craquer ses jointures de doigts.

– Ne secouez pas la barque, dit-il très bas. Ou, si vous aimez mieux, ne faites pas de vagues.

Les enfants gardèrent le silence. « Ne pas secouer la barque » et « ne pas faire de vagues » sont deux expressions, ils le savaient, qui signifient en gros la même chose : « se tenir à carreau, ne rien faire qui dérange, ne pas se mettre à dos le reste du monde ou, du moins, son propre entourage ».

Sage conseil, par conséquent, et pourtant un détail clochait : le ton était cordial, mais il y avait quelque chose dans la voix qui manquait de cordialité, quelque chose d'à peine perceptible mais qui était tapi là, tel un haut-fond au ras de l'eau.

– Nous avons nos coutumes, reprit Ishmael. Des coutumes qui sont les nôtres depuis pas mal de temps. La plupart d'entre nous n'avons plus que de rares souvenirs de notre vie d'avant naufrage, et toute une nouvelle génération n'a jamais vécu ailleurs qu'ici. Je vous conseille donc vivement, vous trois, de ne pas poser trop de questions, ni de glisser votre grain de sel partout. Nous vous avons recueillis, enfants Baudelaire, ce qui est un acte de gentillesse, et nous espérons de la gentillesse en retour. Si vous fourrez votre nez dans les affaires de l'île, les gens vont estimer que vous n'êtes pas gentils – tout comme Vendredi a estimé que ce comte Olaf n'était pas gentil. Bref, ne faites pas de vagues, ne secouez pas la barque. Après tout, c'est une histoire de vagues et de barque secouée qui vous a valu d'être ici.

Il rit dans sa barbe à sa petite plaisanterie et les trois enfants, sans vraiment trouver drôle d'avoir failli se noyer, gimacèrent des sourires sans piper mot. Il y eut un silence pesant, jusqu'au moment où une jeune femme au visage avenant, tout éclaboussé de taches de rousseur, entra dans la tente d'un pas vif, chargée d'un énorme pot de terre.

– Vous devez être les enfants Baudelaire, dit-elle comme Vendredi entrait sur ses talons, serrant dans ses bras des bols de coco empilés. Et vous devez avoir grand faim, aussi. Je suis Mrs Caliban, la maman de Vendredi, et c'est moi surtout qui fais la cuisine, ici. Que diriez-vous de manger ?

– Ce serait bien volontiers, dit Klaus.

– J'ai l'estomac dans les chaussettes, dit Violette.

– Menu ? s'enquit Prunille.

Et Mrs Caliban comprit, car elle souleva le couvercle de sa marmite afin d'en laisser voir le contenu.

– Ceviche, dit-elle. C'est un plat sud-américain, à base de poisson cru émincé en petits dés.

– Ah ! dit Violette avec autant d'enthousiasme qu'elle put y mettre.

Le ceviche (prononcer cévitché) est un goût acquis, expression signifiant ici : « une chose que vous n'allez sûrement pas aimer la première fois que vous en mangerez, ni la deuxième, ni sans doute la troisième, mais que peut-être, un jour, avec le temps, vous finirez par apprécier ». Les enfants Baudelaire avaient déjà goûté au ceviche un certain nombre de fois – leur mère en préparait un grand plat, d'ordinaire, pour célébrer le retour de la saison des crabes –, mais pas encore assez pour en raffoler, et encore moins pour en faire le plat dont ils rêvaient au sortir d'un naufrage. Je dois dire que, pour ma part, au sortir d'un récent naufrage, j'ai eu la chance de me retrouver à bord d'une péniche où j'ai excellemment soupé d'un gigot d'agneau avec polenta à la crème et fricassée de mini artichauts, suivi d'une fondue de chocolat aux fraises fraîches accompagnée d'un rayon de miel écrasé aux saveurs de nectar et de cire – et le tout s'est révélé merveilleusement roboratif, surtout après m'être fait rouler, chahuter, pétrir comme un pantin de chiffon par des eaux tumultueuses. Mais les enfants Baudelaire acceptèrent leurs bols de ceviche, ainsi que l'étrange ustensile en bois que Vendredi leur tendit en lieu et place de couverts, et qui ressemblait à une fourchette mâtinée de cuillère.

– Ce sont des cuillères runcibles, expliqua-t-elle. Nous n'avons ni fourchettes ni couteaux, ici, parce que ça risque de servir d'armes.

– Ça paraît assez sage, dit Klaus tout en se faisant la réflexion que n'importe quoi peut servir d'arme, pour peu qu'on soit d'humeur à s'armer.

– J'espère que vous allez aimer ça, dit Mrs Caliban. Les recettes sans cuisson à base de produits de la mer ne courent pas les rues.

– Negihama, suggéra Prunille.

– Ma sœur est un cordon-bleu en herbe, dit Violette, et elle se propose de préparer un plat nouveau pour la colonie, si vous avez du wasabi.

Prunille et Klaus adressèrent à leur aînée un regard qui signifiait : « Bien vu ». Car la question de savoir s'il y avait du wasabi sur l'île était bel et bien cruciale, et pas seulement pour permettre à Prunille de préparer un plat savoureux, terme signifiant ici : « autre chose que du ceviche ». Le wasabi, variante du raifort très appréciée dans la cuisine japonaise, était également l'une des rares défenses contre la redoutable *Amanita gorgonoïdes*. Et Violette, sachant qu'Olaf rôdait alentour, tenait à envisager d'éventuelles stratégies, au cas où le casque de scaphandre serait retrouvé et le champignon tueur, libéré.

– Du wasabi ? dit Mrs Caliban. Non, nous n'avons pas de ça ici. En fait, nous n'avons pas de condiments du tout. Ni épices ni aromates, rien. Jamais il n'en est arrivé sur nos côtes.

– Et s'il en arrivait, s'empressa d'ajouter Ishmael, nous les mettrions tout droit sur le traîneau des moutons. Les estomacs de nos colons sont accoutumés au ceviche sans épices, et nous ne voulons pas secouer la barque.

Klaus porta un peu de ceviche à sa bouche et réprima une grimace. Par tradition, le poisson servi en ceviche a d'abord mariné longuement dans du jus de citron copieusement épicé : c'est cette marinade qui le « cuit » et lui confère sa saveur singulière. Faute d'épices, le ceviche de Mrs Caliban avait à peu près la saveur que doit avoir le contenu d'un bec de pélican, ou d'un gosier de goéland prêt à régurgiter de quoi nourrir son poussin.

– Mangez-vous du ceviche à tous les repas ? s'enquit Klaus.

– Bien sûr que non, le rassura Mrs Caliban avec un petit rire. Nous nous en lasserions, ne crois-tu pas ? Non, nous ne mangeons du cevice qu'à midi. Le matin, nous prenons de la salade d'algues et, le soir, une soupe aux oignons très douce, agrémentée d'un peu d'herbe verte. Rien de tout ça n'a un goût fort et nous pourrions nous en fatiguer, mais avec du cordial de coco, ça descend tout seul, ma foi.

Sur ce, la mère de Vendredi plongea la main dans l'une de ses poches, elle en sortit trois gros coquillages aménagés en flacons et en tendit un à chacun des enfants.

– Buvons en l'honneur des arrivants, suggéra Vendredi, levant bien haut son propre coquillage.

Mrs Caliban l'imita et Ishmael, se contorsionnant sur son siège d'argile, déboucha le sien une fois de plus.

– Excellente idée ! dit-il avec un large, large sourire. À la santé des orphelins Baudelaire !

– Bienvenue sur notre île, enfants Baudelaire ! approuva Mrs Caliban.

– Puissiez-vous y rester jusqu'à la fin des temps ! renchérit Vendredi.

Les enfants Baudelaire regardèrent les trois îliens qui leur souriaient de toutes leurs dents, prêts à trinquer, et s'efforcèrent bravement de faire de même, mais le cœur n'y était pas. Ils se posaient beaucoup trop de questions pour avoir envie de sourire ou de boire, des questions qui, à cet instant, déferlaient en pagaïe dans leurs têtes. Allaient-ils réellement devoir ingurgiter du ceviche sans assaisonnement non seulement ce jour-là, mais tous les jours à midi, tout le temps qu'ils séjourneraient sur l'île ? Allaient-ils vraiment devoir siroter de ce cordial de coco – et refuser de le faire, était-ce secouer la barque ? Où pouvait bien se trouver le comte Olaf, et que machinait-il à la seconde même ? Où donc étaient leurs amis, tous ceux auxquels ils tenaient, et qu'était-il advenu des gens qui occupaient l'hôtel Dénouement au début de l'incendie ? Mais plus que tout, les trois enfants se posaient une question essentielle : pourquoi diantre Ishmael les avait-ils traités d'« orphelins », alors qu'ils ne lui avaient pas raconté toute l'histoire ?

Violette, Klaus et Prunille regardèrent leurs bols de ceviche, puis Vendredi et sa mère, puis leurs flacons de cordial et, pour finir, Ishmael, qui continuait de leur sourire du haut de son siège massif, son coquillage levé. Alors les trois jeunes naufragés se demandèrent s'ils avaient pour de bon trouvé refuge loin de la perfidie du monde – ou si la perfidie du monde n'était pas embusquée quelque part à proximité, tout comme le comte Olaf l'était sans doute à l'instant même. Les yeux sur le grand facilitateur, ils n'étaient plus si certains de se trouver en lieu sûr, et se demandaient que faire si tel n'était pas le cas.

– Je ne veux pas vous forcer, conclut Ishmael dans sa barbe.

Et de cela non plus, les orphelins Baudelaire n'étaient plus si certains, tout compte fait.

Chapitre V

À moins de manquer de curiosité – ou d'être l'un des orphelins Baudelaire en personne –, vous vous demandez sans doute, à ce stade, si les trois

enfants burent ou non ce cordial de coco qu'ils étaient si fermement conviés à boire.

Peut-être vous êtes-vous déjà trouvé dans une situation similaire, invité à absorber quelque substance qu'il vous ennuyait fort d'absorber par quelqu'un qu'il vous ennuyait fort de froisser, et peut-être vous a-t-on déjà mis en garde contre ceux qui vous placent dans ce genre d'embarras, et conseillé vivement de ne pas leur céder, mot signifiant ici : « finir par accepter, au lieu de dire poliment non merci ».

Dans ce type de situation – lorsqu'on n'a pas envie de faire une chose, mais qu'on s'y sent contraint parce que l'entourage se montre pressant, parce que c'est ce que tout le monde fait et qu'il est plus sage de faire comme tout le monde –, les psychologues disent qu'on cède à la « pression des pairs », « pairs » signifiant ici : « personnes qui partagent peu ou prou la même situation que vous », et la pression en question étant la force de persuasion exercée par ces personnes.

Naturellement, si vous êtes ermite au sommet d'un morne et que votre ermitage voit passer, tout au plus, un mouton de loin en loin, la pression des pairs ne doit guère vous peser – même si, chez les ovins, il semble qu'elle soit forte, de sorte que l'un d'eux, vous prenant pour un pair, pourrait très bien tenter de vous persuader qu'une épaisse toison blanche vous serait très seyante. Mais si vous vivez entouré d'êtres humains, qu'ils soient membres de votre famille, votre tribu, votre collège, votre organisation secrète, chaque instant de votre vie vous soumet à cette pression des pairs et vous ne pouvez pas plus l'éviter que le bateau n'évite les vagues ou la tempête. Tout au long de la journée, tout au long de la vie, chacun de nous subit la pression des pairs et, sauf exception rarissime, y cède – qu'il se retrouve en train de jouer au ballon prisonnier, contraint par ses pairs écoliers, ou de se percher trois balles de caoutchouc sur le nez, contraint par ses pairs clowns. Et le fait est que, si vous tentez de vous soustraire à la pression de vos pairs, vous risquez fort de finir sans pairs du tout. Tout l'art consiste donc à choisir ses pairs avec soin, puis à céder à leur pression juste assez pour ne pas les faire fuir, mais pas au point d'y laisser sa peau ou de se retrouver dans quelque autre situation hautement inconfortable.

Les situations hautement inconfortables, les enfants Baudelaire en avaient déjà connu un certain nombre et ce jour-là, n'ayant guère le choix de leurs pairs, ils cédèrent à la pression exercée par Ishmael, Mrs Caliban, Vendredi et, derrière eux, tous les habitants de cette motte de terre émergée qui était leur nouveau logis. Sous la grande tente blanche d'Ishmael, ils burent leur cordial de coco et ingurgitèrent leur ceviche sans épices, malgré le léger tournis que leur infligeait le breuvage et malgré la texture de limace écrasée du fricot, car c'était cela ou quitter la colonie et partir seuls en quête de subsistance. De même, ils portèrent leurs tuniques blanches, et tant pis si la laine en était un peu épaisse par ce temps chaud, car c'était cela ou se vêtir de feuilles de cocotier et d'herbes sèches. Et ils ne soufflèrent pas mot des objets désapprouvés qu'ils gardaient en cachette au fond de leurs poches – ruban, calepin et fouet à œufs –, car c'eût été secouer la barque, ce que leur avait déconseillé Ishmael. Ils n'osèrent même pas demander à Vendredi pourquoi elle avait donné cet ustensile à Prunille, pour commencer.

Cela dit, malgré la saveur trop forte du cordial, malgré l'absence de saveur du ceviche, malgré les tuniques peu flatteuses et malgré le remords des cachotteries, les trois jeunes Baudelaire se sentaient plutôt chez eux sur cette île, du moins plus que nulle part ailleurs depuis fort longtemps. Car ils avaient eu beau trouver toujours, partout où ils étaient allés, une personne ou deux avec qui nouer des liens de confiance, les trois enfants n'avaient été réellement acceptés nulle part depuis qu'Olaf les avait fait passer pour assassins, les obligeant ainsi à se cacher, à se déguiser, à ne plus jamais se montrer ouvertement – ni même à se montrer ouverts. Oui, les trois enfants se sentaient plutôt en sécurité au sein de cette paisible colonie, réconfortés par l'idée que le comte Olaf était tenu à distance et que, si jamais leurs amis se retrouvaient sur ces côtes à leur tour, ils y seraient accueillis aussi, à l'unique condition de céder à la version locale de la pression des pairs. Une nourriture insipide, des vêtements peu élégants et des breuvages suspects, ce n'était pas si cher payé, tout bien pesé, en échange d'un havre sûr peuplé de gens qui, sans être des amis, étaient d'aimable compagnie et vous offraient l'hospitalité aussi longtemps qu'il vous plairait de rester.

Les jours passèrent. L'île restait égale à elle-même : un peu soporifique, mais agréablement rassurante. Violette aurait bien volontiers prêté main-forte à l'équipe qui achevait de bâtir le grand canoë, mais à la suggestion d'Ishmael elle se consacrait aux lessives de la colonie aux côtés de Vendredi, de Robinson et du professeur Fletcher, passant le plus clair de ses journées à rincer les tuniques de laine dans l'eau saumâtre, puis à les étendre au soleil sur des rochers. Klaus se serait bien volontiers lancé dans l'exploration de l'autre bout de l'île et de la face cachée du morne, afin d'y entreprendre l'inventaire des débris jetés là – l'endroit devait être fascinant, après des décennies de tempêtes ; mais tout le monde avait convenu qu'Ishmael avait raison, que le mieux pour lui était de tenir compagnie au facilitateur, aussi passait-il ses journées à remettre de l'argile sur les pieds du vieil homme ou à refaire le plein de cordial dans son coquillage.

Seule Prunille avait droit à une occupation à la hauteur de ses compétences, mais aider Mrs Caliban aux casseroles n'avait rien de vraiment palpitant, les trois repas de la colonie manquant un peu de variété. Chaque matin, la benjamine des Baudlaire allait chercher quelques brassées d'algues – récoltées par Alonso et Ariel, rincées par Sherman et Robinson, mises à sécher par Erewhon et Weyden – et elle les jetait dans le caquelon géant du petit déjeuner de la colonie. Plus tard dans la journée, Ferdinand et Larsen venaient déverser devant la tente des cuisines de pleins filets de poissons frais pêchés, que Prunille et Mrs Caliban se mettaient en devoir de réduire en miettes avec leurs cuillères runcibles afin d'en faire un pseudo-ceviche. Enfin, dans la soirée, les deux cuisinières jetaient dans une grande marmite d'eau saumâtre les oignons sauvages arrachés par Finn et Omeros, agrémentés de poignées d'herbe cueillies par Brewster et Calypso – seul et unique assaisonnement en usage sur l'île –, puis elles servaient cette sorte de soupe pour tout potage. À chaque repas, afin de faire descendre le tout, elles distribuaient le cordial de coco dont Byam et Willa avaient surveillé la fermentation, à partir du lait et de la pulpe des noix de coco que Mr Pitcairn et Ms Marlow récoltaient sur les cocotiers de l'île. Aucune de ces activités n'était sérieusement accaparante, et Prunille passait le plus clair de ses journées dans une certaine oisiveté, expression signifiant ici : « à traîner dans les jambes de Mrs Caliban et à siroter du cordial, le regard perdu vers l'horizon marin ».

Après des mois et des mois de mauvaises rencontres, de fuites éperdues et d'épisodes tragiques, les trois enfants s'étaient entièrement désaccoutumés d'une vie tranquille, et dans les premiers jours ils se sentirent un peu déstabilisés, presque en état de manque, ainsi brutalement coupés des sombres fourberies d'Olaf et de la noble quête d'intégrité de V.D.C. Mais chaque nuit de bon sommeil dans le confort aéré d'une tente, chaque journée consacrée à des activités guère accablantes et chaque gorgée de cordial de coco bien tassé éloignaient d'eux un peu plus le stress et les trau-matismes de leur récent passé. Quelques jours après leur arrivée, comme l'avait prédit Ishmael, une nouvelle tempête déferla sur l'île avec son ciel d'encre, ses tourbillons fous, ses pluies torren-tielles, et les enfants Baudelaire, blottis avec les autres îliens sous la tente du facilitateur, se dirent qu'au fond le gentil train-train de la colonie avait du bon, par contraste avec les tourmentes traver-sées depuis la disparition de leurs parents.

– Roberval, avoua Prunille à ses aînés le lende-main matin, comme ils cheminaient sur le sable mouillé.

Obéissant à la tradition, la colonie entière s'était égaillée sur les grèves pour la récolte d'après tempête, chacun examinant les débris qui se présentaient à lui.

Par « Roberval », il va de soi, la benjamine des Baudelaire entendait : « Entre les deux, mon cœur balance ; je n'arrive pas à savoir si je me plais ici ou pas. »

— Je comprends ça très bien, dit Klaus qui la portait sur ses épaules. Parce que moi, c'est pareil. La vie n'a rien de bien folichon, ici, il faut reconnaître. D'un autre côté, nous sommes en sécurité.

— C'est déjà ça, reconnut Violette. Même si la discipline, ici, est finalement assez stricte.

— Bien d'accord, reprit Klaus. Ishmael n'arrête pas de dire qu'il ne veut pas nous forcer, mais tout a l'air un peu obligatoire quand même.

— Au moins, ils ont forcé Olaf à se tenir à l'écart, rappela Violette. C'est plus qu'on ne peut en dire de V.D.C.

— Sirius, ajouta Prunille ; autrement dit : « Nous sommes si loin de tout, ici ! Les luttes entre V.D.C. et leurs adversaires, c'est presque une autre galaxie. »

– Oui, dit Klaus, se penchant pour examiner le contenu d'une flaque. Les seuls V.D.C., ici, ce sont les Victuailles Dépourvues de Condiments.

Violette eut un sourire.

– Il n'y a pas si longtemps, dit-elle, nous nous débattions pour atteindre le dernier lieu sûr avant jeudi. À présent, tout paraît sûr, et je serais bien en peine de dire quel jour on est.

– Petit Liré, soupira Prunille ; autrement dit : « N'empêche que la maison me manque. »

– Oh ! à moi aussi, avoua Klaus. Mieux que ça : j'en viens à regretter la bibliothèque de la scierie Fleurbon-Laubaine.

– La bibliothèque de Charles ? s'étonna Violette. La salle était très belle, d'accord, mais je te rappelle, il n'y avait que trois livres. Comment peux-tu regretter un endroit pareil ?

– Trois livres, dit Klaus, c'est mieux qu'aucun. Tout ce que j'ai lu, depuis notre arrivée ici, c'est mon calepin, et en cachette. J'ai suggéré à Ishmael de me dicter l'histoire de la colonie, pour que les colons puissent mieux connaître leur lieu de vie.

Bon sang, même sur des écorces, sur des feuilles sèches, il y a toujours moyen d'écrire – sans compter que je parie, Violette, que tu saurais nous fabriquer de l'encre et du papier. Et je lui ai dit que d'autres pourraient sans doute écrire leur propre histoire, aussi. De cette manière, l'île finirait par avoir sa bibliothèque. Et vous savez ce qu'il m'a répondu ? Qu'il ne voulait pas me forcer, mais qu'à son avis ce n'était pas une bonne idée, des écrits où il serait question de tempête et de naufragés, que ça mettrait les gens en émoi. Bon, je ne veux pas secouer la barque, mais lire et écrire me manquent.

– Je te comprends, dit Violette. Moi, c'est la tente de Madame Lulu que j'en viens à regretter.

Klaus ouvrit des yeux ronds.

– Avec ses trucs-machins farfelus ?

– Ses inventions avaient de quoi faire rire, admit Violette, mais si j'avais sous la main ces pièces de mécanique toutes bêtes, je crois que je pourrais bricoler un système de filtration d'eau rudimentaire. Avec de l'eau douce, les îliens ne seraient plus obligés de boire de ce cordial du matin au soir. Encore que, d'après Vendredi, l'habitude de le boire soit invétérée.

– Dopamine ? s'enquit Prunille.

– En gros, elle entend par là qu'ils boivent de ce truc depuis si longtemps qu'ils ne voudront sans doute jamais y renoncer. Bon, je ne veux pas secouer la barque, mais travailler à des inventions me manque. Et toi, Prunille ? Qu'est-ce qui te manque ?

– Fontaine, dit Prunille.

– La fontaine de Villeneuve-les-Corbeaux ? demanda Klaus. Celle qui était en forme d'oiseau ?

– Non, dit Prunille. Banque.

– La fontaine de la Finance Victorieuse ? s'étonna Violette. Et pourquoi diable la regrettes-tu ?

– Plouf, dit Prunille ; et ses aînés en eurent le souffle coupé.

– Tu ne peux pas te souvenir de ça, protesta Klaus.

– Tu avais quelques semaines à peine, dit Violette.

– Souvenir, insista Prunille, très ferme.

Et ses aînés hochèrent la tête, médusés.

Prunille faisait allusion à certain après-midi d'automne, du temps où elle était nourrisson, un jour qu'il faisait anormalement chaud pour la saison. Les parents Baudelaire, ayant dû se rendre au centre-ville pour affaires, avaient emmené leurs enfants avec promesse d'une halte chez un marchand de glaces sur le chemin du retour. Dans le quartier des banques, toute la famille avait fait une pause autour de la fontaine de la Finance Victorieuse, puis la mère des enfants avait disparu bien vite dans un grand bâtiment hérissé de tourelles tandis que leur père attendait au-dehors avec eux. La grosse chaleur rendait Prunille grincheuse et elle avait commencé à geindre. Pour la calmer, leur père avait trempé dans l'eau ses petits pieds nus, et Prunille avait réagi avec tant d'enthousiasme qu'il avait plongé aussi les petites jambes, puis le restant de sa fille, tout habillée, riant aux éclats. Comme vous le savez peut-être, un rire de bébé est d'ordinaire très contagieux, et avant longtemps la grande fontaine avait vu patauger dans son bassin non seulement Violette et Klaus, mais leur père tout aussi bien, et c'était à qui rirait le plus fort, au ravissement de Prunille. Peu après, leur mère était sortie du bâtiment et elle avait paru un peu interloquée de voir enfants et mari s'ablutionner ainsi dans cette fontaine publique, s'en donnant à cœur joie. Puis elle avait posé son sac à main, retiré ses escarpins et rejoint le quatuor dans l'eau fraîche. Sur le trajet du retour, les Baudelaire avaient ri tout le long du chemin, chacun de leurs pas faisant gaiement *squish ! squish !* Puis tous les cinq s'étaient assis sur le perron de la maison pour se sécher au soleil. C'était un merveilleux souvenir, mais si lointain déjà que Violette et Klaus l'avaient presque oublié. Et pourtant, à présent que Prunille venait de le raviver, il leur semblait entendre encore le rire de leur sœur si petite et revoir les mines sidérées des employés de banque sortant des bureaux.

– On a peine à croire, dit soudain Violette, que nos parents aient pu rire comme ça à l'époque.

Alors qu'ils étaient déjà très impliqués dans V.D.C., avec toutes les bisbilles, tous les conflits, les ennuis.

– Oui, dit Klaus. Ce jour-là, le schisme et ses histoires de discorde devaient leur sembler à des années-lumière.

– Ici loin pareil, dit Prunille.

Et ses aînés acquiescèrent.

En ce matin de grand soleil, avec la mer qui scintillait là-bas, tout au bout des grèves immenses, l'île semblait aussi éloignée des tourmentes et fourberies du vaste monde que l'avait semblé, ce jour-là, la fontaine de la Finance Victorieuse. Mais les tourmentes et fourberies du vaste monde sont rarement aussi distantes que nous aurions tendance à le croire par les matins clairs. En ce lointain après-midi au cœur du quartier bancaire, par exemple, la tourmente couvait à un jet de pierre, dans les couloirs du bâtiment à tourelles, où la mère des enfants Baudelaire s'était fait remettre un bulletin météo et une carte navale qui devaient révéler, examinés à la bougie le soir-même, une tourmente d'une tout autre ampleur que ce qu'elle avait imaginé. Et la fourberie rôdait à quelques pas seulement de la fontaine, où une femme déguisée en vendeuse de bretzels prenait un cliché du quintette Baudelaire riant aux éclats, puis glissait l'appareil photo dans la poche de veste d'une conseillère financière, laquelle s'engouffrait dans un restaurant, où le garçon de vestiaire s'empressait de retirer l'appareil pour le cacher dans une grande coupe de Tutti Frutti glacé que certain auteur dramatique devait commander au dessert, mais qu'une serveuse à l'esprit vif se hâtait de subtiliser sous prétexte que la sauce sabayon avait tourné, puis d'aller jeter dans une poubelle, le long de la ruelle où je poireautais depuis des heures, feignant de chercher une jeune chienne égarée qui en réalité, à cette minute même, se glissait par l'entrée de derrière dans le bâtiment à tourelles et y retirait son déguisement, puis le fourrait dans son sac à main – en un mot comme en cent, la tourmente couvait alors, et ce matin clair sur l'île n'était en rien différent.

Les trois enfants Baudelaire avaient repris leur cheminement en silence, clignant des yeux dans la lumière vive, Violette en tête et Klaus derrière, Prunille toujours sur ses épaules, quand soudain la petite alerta son frère d'une chiquenaude sur le crâne et demanda, pointant son index menu :

– Vasistas ?

Droit devant, vers le bas de la grève, quelque chose reposait de guingois sur une levée de sable grossier, et ce quelque chose signifiait « gros soucis », même s'il n'y paraissait pas à cette heure.

De quoi il s'agissait, bien malin qui aurait su le dire, surtout à pareille distance. Tout au plus pouvait-on avancer que c'était plutôt gros, plutôt parallélépipédique – mot redoutable à prononcer signifiant ici : « en forme d'énorme boîte à biscuits » – et plutôt déglingué. Les trois enfants pressèrent le pas, enjambant flaques et crabes et algues, pour aller y voir de plus près. Mais pour finir, même vu de près, ce quelque chose n'était pas facile à identifier.

D'une certaine façon, l'objet carrément gros, carrément parallélépipédique et carrément déglingué semblait une réponse aux trois souhaits formulés par les trois enfants. Il faisait songer à une sorte de bibliobus, parce qu'il était clairement constitué d'énormes piles de livres, juxtaposées avec soin et ligotées de lanières de caoutchouc de manière à former une sorte de radeau très épais, l'équivalent d'au moins douze ou treize matelas empilés. Mais il avait aussi quelque chose d'une invention novatrice, appareil ou engin d'avant-garde, avec ce battant de bois délabré qui devait pouvoir faire gouvernail à l'arrière. Enfin, il avait quelque chose d'une fontaine, à la façon dont ses flancs ruisselaient de partout, l'eau qui s'échappait des volumes détrempés dégoulinant doucement dans la flaque à son pied.

Mais malgré l'étrangeté de l'épave, ce n'était pas sur elle que les enfants avaient les yeux rivés, car un objet dépassait du sommet, plus insolite encore en ce lieu : un pied, un pied nu en surplomb, comme si quelqu'un dormait là-haut, sur cet énorme radeau de livres ; et la cheville de ce pied s'ornait d'un œil tatoué.

– Olaf ? souffla Prunille.

Mais ses aînés firent non en silence. Les pieds du comte Olaf, ils ne les avaient que trop vus, or ce pied-là était plus menu et, surtout, bien plus rose que ceux du scélérat.

– Prunille, chuchota Violette. Si tu te mettais debout sur les épaules de Klaus, en faisant très, très attention, peut-être qu'en grimpant un peu tu pourrais voir quelque chose ?

Lentement, précautionneusement, Prunille se redressa sur les épaules de son frère et, s'agrippant de ses petites mains comme elle l'avait fait dans la cage d'ascenseur du 667, boulevard Noir, elle se hissa jusqu'au sommet de l'épais radeau afin d'y risquer un coup d'œil.

Une femme gisait là, inconsciente, par-dessus les piles de livres. Sa longue robe de velours grenat gorgé d'eau lui faisait comme une corolle et ses cheveux épars derrière elle, enchevêtrés, dessinaient un immense éventail. Le pied qui dépassait formait avec la cheville un angle suspect, mais pour le reste elle semblait indemne. Ses yeux étaient clos, ses lèvres un peu pincées, mais son abdomen – le ventre rond et rebondi d'une femme enceinte – s'élevait et s'abaissait à un rythme paisible, ses mains gantées de blanc posées à plat dessus, comme pour se réconforter ou réconforter son enfant.

– Kit Snicket, annonça la petite à ses aînés d'une voix étranglée.

– Ouiii ? répondit une voix derrière eux, aussi haut perchée que discordante – mot signifiant ici : « forcée, détestable, et détestablement familière ». On m'appelle ?

Violette et Klaus pivotèrent pour voir qui arrivait là et Prunille fit la grimace.

La personne qui venait de surgir, contournant le radeau de livres, était également vêtue d'une longue robe descendant jusqu'aux chevilles, également de velours gorgé d'eau, mais sa robe, au lieu d'être grenat, mêlait le vermillon, l'orange et le jaune vif, coloris agressifs qui dansaient et se fondaient entre eux à chacun de ses pas. Cette personne-là ne portait pas de gants, mais elle était coiffée d'une grosse poignée d'algues qui lui faisaient comme des cheveux longs, cascadant jusque dans son dos de la plus hideuse façon. Et le ventre de cette personne était également rond et rebondi, mais d'une rondeur bien peu convaincante. Une rondeur convaincante eût d'ailleurs été anormale, les traits de cette personne n'ayant rien de féminin, or la gestation est un phénomène rarissime chez les sujets de sexe masculin, hormis dans la famille hippocampe où c'est le mâle, par tradition, qui se charge de l'incubation des œufs dans une poche ventrale prévue à cet effet.

Mais la personne qui s'approchait, la mine peu avenante, n'avait rien d'un *Hippocampus*, fût-il *giganteus*. Si l'étrange radeau de livres signifiait « gros soucis », la personne en question signifiait « fourberies » et, comme tant de fourberies déjà, son nom s'épelait : c, o, m, t, e, O, l, a, f.

Durant un instant, Violette et Klaus n'eurent d'yeux que pour l'arrivant tandis que leur cadette n'avait d'yeux que pour Kit Snicket. Puis tous trois, tournant la tête, virent converger vers eux, sur les grèves, les îliens venant à leur tour regarder de plus près l'étrange objet. Alors les trois enfants se demandèrent si les histoires de discorde étaient à des années-lumière, après tout, ou s'ils n'avaient parcouru tout ce chemin que pour se retrouver nez à nez avec les tourmentes et fourberies du vaste monde.

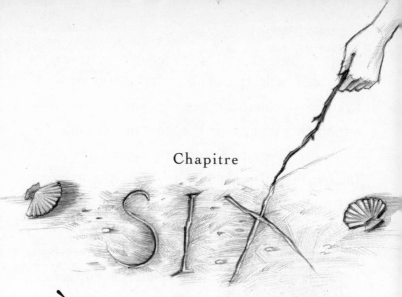

Chapitre

SIX

À ce stade, si vous avez quelque peu suivi la triste chronique des orphelins Baudelaire, vous aurez reconnu dans le présent épisode plusieurs de ses leitmotive – pluriel de *leitmotiv*, mot signifiant ici : « tout ce qui tend à revenir en ritournelle, comme les goûters d'anniversaire avec soda et boules de glace, ou comme les photos trempées de larmes dans les histoires de cœurs brisés, ou comme le comte Olaf en personne, avec son art de tromper le monde ».

De même, les orphelins Baudelaire – qui, pour autant que je sache, n'ont jamais lu leur propre

saga, bien qu'ils en soient les principaux acteurs –
avaient comme un pressentiment en voyant
s'approcher les gens de l'île, chacun d'eux muni
de ce qu'il venait de récupérer sur les grèves.
Olaf n'allait-il pas une fois de plus, comme
chaque fois qu'eux trois tentaient de s'établir en
un lieu, berner tout le monde avec son nouveau
déguisement ? Le scélérat ne s'était même pas
donné la peine de masquer sa cheville tatouée,
bien visible au ras de sa robe longue, mais que
risquait-il après tout ? Ces îliens coupés du
monde devaient être aisés à rouler comme au coin
d'un bois.

Pourtant, lorsque les colons furent tout proches
du radeau de livres sur lequel gisait Kit Snicket,
l'histoire des orphelins Baudelaire se détourna de
son cours habituel : la petite Vendredi qui avait
accueilli les trois enfants, le premier jour, reconnut
le comte au premier coup d'œil.

– Hé ! c'est le comte Olaf, s'écria-t-elle, désignant la crapule d'un doigt accusateur. Habillé en
femme enceinte ! Mais quelle idée !

– Je suis habillée en femme enceinte parce que je *suis* une femme enceinte, répondit Olaf de sa voix haut perchée. Je m'appelle Kit Snicket, et je cherchais partout ces trois enfants.

– Kit Snicket, vous ? Jamais de la vie ! se récria Mrs Caliban.

– Kit Snicket, elle est là-haut, sur ce radeau, déclara Violette tout en aidant sa petite sœur à redescendre. C'est une amie à nous, et elle est peut-être blessée, ou malade. Et là, c'est le comte Olaf, qui n'est pas un ami à nous.

– Ni à nous ! lança Vendredi, à l'approbation générale. Et se fourrer quelque chose sous la robe pour faire comme si on attendait un bébé, ou se coiffer d'algues en guise de perruque, ça ne suffit pas pour que les gens y croient. (Elle se tourna vers les trois enfants, qui s'avisèrent que sa tunique à elle se soulevait de façon suspecte ; soit elle avait ingurgité beaucoup trop d'algues au petit déjeuner, soit elle aussi cachait quelque chose.) J'espère qu'il ne vous a pas ennuyés, au moins. Je lui avais pourtant dit de disparaître !

Le comte Olaf lui décocha un regard meurtrier et en appela au restant de l'assistance.

– Insulaires ! Vous n'allez tout de même pas chasser une pauvre future maman, n'est-ce pas ? Je suis dans une situation délica…

– Vous n'êtes *pas* dans une situation délicate, coupa Larsen d'un ton sans réplique. Vous êtes dans une tenue grotesque. Si Vendredi assure que vous êtes un dénommé Olaf, c'est que vous l'êtes. Et nous ne voulons pas de vous ici, parce que vous n'avez rien de bon.

– Moi ? bêla le comte, une main osseuse dans sa crinière d'algues. Je n'ai jamais rien fait de mal de ma vie ! Je suis une pauvre petite dame qui attend un heureux événement. Ce sont ces trois Baudelaire qui ont commis toutes sortes de méfaits, sans parler de l'experte en impostures qui dort au sommet de cette espèce de bibliothèque détrempée.

– Bib… liothèque ? balbutia Fletcher. Il n'y a jamais eu de bibliothèque sur cette île.

– Ishmael a toujours dit qu'une bibliothèque ne pouvait apporter que des ennuis, déclara Brewster.

Une chance que jamais un seul livre ne soit venu s'échouer sur nos côtes.

– Voyez ? triompha Olaf, sa robe orange et jaune froufroutant dans la brise matinale. Cette femme, perfide entre toutes, a trouvé le moyen d'introduire des livres ici, dans l'unique but de vous nuire, innocents primitifs que vous êtes. Et ces trois-là se disent ses amis ! C'est eux que vous devez bannir, et moi qu'il faut accueillir à Olaffia et couvrir de présents.

– Cette île ne s'appelle pas Olaffia ! s'offusqua Vendredi. Et c'est *vous* que nous rejetons.

– Tout ça est trop compliqué ! s'écria Omeros. Il nous faut l'avis d'Ishmael.

– Omeros a raison, dit Calypso. Rien sans consulter Ishmael. Venez, emportons nos trouvailles à sa tente.

Un mouvement général s'amorça, et deux ou trois des gros bras de l'île se postèrent derrière le radeau de livres afin de le pousser vers la terre ferme. Ce n'était pas tâche facile : il s'enfonçait dans le sol gorgé d'eau et bringuebalait de façon inquiétante. Les enfants Baudelaire virent le pied de Kit tressauter violemment et s'affolèrent. Si elle allait tomber de là-haut ?

– Arrêtez ! hurla Klaus. C'est dangereux de déplacer un blessé, et plus encore en cas de grossesse.

– Klaus a raison, dit le Dr Kurtz. On nous le disait toujours, à l'école vétérinaire.

– Bon, bon, dit le rabbin Bligh. Si Mahomet ne peut venir à la montagne, c'est la montagne qui viendra à Mahomet.

Klaus avait la nette impression que la citation n'était pas très adaptée à la situation, sauf à faire d'Ishmael la montagne, mais les îliens comprirent immédiatement.

– Oui, mais comment ? dit la vieille Erewhon. Jamais Ishmael ne marchera jusqu'ici, avec ses pieds estropiés.

– Non, dit Sherman, mais les moutons peuvent l'y traîner. Il suffit de mettre son siège sur le traîneau. Vendredi, tu veux bien garder Olaf et les Baudelaire, s'il te plaît, pendant que nous allons le chercher ?

– Et refaire le plein de cordial, aussi, compléta Madame Nordoff.

Il y eut un nouveau murmure d'approbation, et les îliens repartirent vers l'île, chacun emportant son épave. Les jeunes Baudelaire se retrouvèrent seuls en compagnie d'Olaf et de Vendredi.

La petite prit une gorgée de cordial puis sourit aux trois enfants.

– Ne vous en faites pas, dit-elle, une main sous son estomac rebondi. Tout va s'arranger. Je vous promets que ce vilain bonhomme va se faire rejeter une fois pour toutes.

– Je ne suis pas un vilain bonhomme, s'obstina le comte Olaf. Je suis une dame qui attend un bébé.

– Hyalite, commenta Prunille.

– Absolument, approuva Violette. Votre déguisement est transparent.

– Hum ! ricana Olaf. Êtes-vous si sûrs que vous aimeriez me voir non déguisé ?

La voix était toujours aussi ridiculement aigrelette, mais sous la frange d'algues les yeux étincelaient. D'une main, le comte saisit quelque chose dans son dos et le brandit en avant : le lance-harpon, avec sa détente rouge sang et son dernier harpon prêt à partir.

– Si je me déclarais comte Olaf, je pourrais bien agir en malfrat et non en cœur noble.

– Jamais vous n'avez agi en cœur noble, riposta Klaus. Sous aucun déguisement. Et cette arme ne nous fait pas peur. Vous n'avez plus qu'un harpon, et l'île est peuplée de gens qui savent ce que vous valez.

– Klaus a raison, dit Vendredi. Vous feriez mieux de poser cette arme. Elle ne rime à rien ici.

Le comte la toisa un instant et ouvrit la bouche comme pour proférer quelque nouvelle igno-minie. Mais pour finir il baissa le nez sur la flaque à ses pieds et marmonna :

– J'en ai jusque-là d'arpenter ces grèves. Rien d'autre à croûter que des algues et de la poiscaille crue. Et tout ce qui présentait un peu d'intérêt a été raflé par ces arriérés en robe de chambre.

– Si vous étiez moins odieux, comte Olaf, lui dit Vendredi, vous seriez accepté sur notre île.

Les enfants Baudelaire échangèrent un regard alarmé. Condamner Olaf à errer sur les grèves avait beau leur sembler cruel, ils n'aimaient pas plus l'idée de le voir accueilli au sein de la colonie. Vendredi, à l'évidence, ne connaissait pas toute l'histoire du comte – elle avait eu si peu affaire à lui ! Mais les trois enfants ne pouvaient pas tout lui révéler. Pour raconter l'histoire d'Olaf, il leur aurait fallu raconter aussi leur histoire à eux, toute l'histoire – leurs propres coups bas compris, au risque de se faire rejeter aussi.

Olaf observait Vendredi comme s'il mijotait quelque chose. Puis, avec un sourire crocodilien, il se tourna vers le trio Baudelaire.

– C'est vrai, au fond, dit-il, leur tendant le lance-harpon. Ici, cette arme ne rime à rien.

Il parlait toujours de sa voix aigrelette, caressant son ventre faussement rebondi comme on caresse un enfant à naître. La dernière fois que les enfants avaient touché à ce lance-harpon, le pénultième harpon était parti, tuant un homme au cœur noble du nom de Dewey. Ils n'étaient pas près

LES DÉSASTREUSES AVENTURES DES ORPHELINS BAUDELAIRE

d'oublier cette vision, Dewey sombrant dans les eaux noires. Se voir offrir cette arme une fois de plus leur rappelait combien elle était redoutable.

– Nous n'en voulons pas, de cet objet, dit Violette.

– Encore une de vos entourloupes, dit Klaus.

– Ce n'est pas une entourloupe, prétendit Olaf de sa voix haut perchée. Je renonce à ma vie dévoyée. Je veux dorénavant vivre dans le droit chemin, sur cette île. Le cœur me fend de voir que vous refusez de me croire.

À sa mine grave, on aurait presque cru à ce cœur fendu ; mais ses yeux pétillaient comme ceux de quelqu'un qui en raconte une bien bonne.

– Tartuff, décréta Prunille.

– Vous m'insultez, madame, se froissa Olaf. Je suis honnête, moi. Franc comme l'or.

Ce qui, quand on y réfléchit, ne signifie pas grand-chose : l'or pur est si mou que, sauf exception, ce que nous appelons « or » est un alliage – or-cuivre, or-argent ou autre – dans lequel la teneur en or peut se réduire à trois fois rien, sans parler du plaqué or. Rien de franchement franc dans l'affaire. Les trois enfants furent soulagés de constater que Vendredi, loin d'estimer qu'Olaf parlait d'or, ne prenait pas ses affirmations pour argent comptant. En tout cas, c'est sans sourire qu'elle répliqua :

– Les Baudelaire m'ont dit qu'il ne fallait pas se fier à vous, comte Olaf. Et je vois bien qu'ils avaient raison. Vous resterez ici jusqu'au retour des autres et jusqu'à ce que nous ayons décidé de votre sort.

– Comte Olaf, comte Olaf… Je ne suis pas ce comte Olaf dont vous ne cessez de parler, dit le comte Olaf. Mais en attendant, pourrais-je avoir une petite gorgée de ce cordial que j'ai entendu mentionner ?

– Non, répondit Vendredi tout net et, tournant le dos à la crapule, elle désigna le grand radeau. Des livres… dit-elle aux enfants, rêveuse. C'est la première fois que j'en vois. J'espère qu'Ishmael va bien vouloir qu'on les garde.

– Jamais vu un livre ? s'effara Violette. Pas un seul ? Mais… tu sais lire ou pas ?

La petite jeta un regard derrière elle et acquiesça furtivement.

– Oui, souffla-t-elle. Ishmael a toujours dit que ce n'était pas une bonne idée de nous apprendre, mais le professeur Fletcher n'était pas d'accord. Alors il nous a donné des leçons en secret sur les grèves, à moi et à deux autres, nés sur l'île eux aussi. De temps en temps, pour ne pas oublier, j'écris des choses dans le sable avec un bâton. Mais sans livres et sans bibliothèque, on ne peut pas aller bien loin. Pourvu qu'Ishmael ne suggère pas de donner ceux-là aux moutons !

– Même s'il le suggère, rappela Klaus, rien ne nous obligera à le faire. Tu sais bien, il dit toujours : « Je ne veux pas vous forcer. »

– Je sais, soupira Vendredi. Simplement, quand Ishmael suggère quelque chose, tout le monde dit oui ; et c'est dur de résister à la pression des pairs.

– Fouet, lui rappela Prunille, tirant de sa poche l'ustensile de cuisine.

Vendredi s'éclaira d'un sourire.

– Range ça bien vite, dit-elle à mi-voix. Je te l'ai donné parce que tu avais dit que tu aimais cuisiner. Je trouvais bête de jeter ce truc-là qui pouvait te faire plaisir, simplement parce que Ishmael a décidé que nous n'avons pas besoin d'ustensiles. Tu ne le montres à personne, hein ?

– Bien sûr que non, promit Violette. Mais moi, ce que je trouve bête, c'est de t'interdire le plaisir de lire.

– Peut-être qu'Ishmael voudra bien, cette fois, hasarda Vendredi.

– Peut-être, dit Klaus. Sinon, nous pourrions peut-être tenter une petite pression des pairs, nous aussi.

Vendredi se fit grave.

– Ce qu'il y a, murmura-t-elle, c'est que je ne veux pas secouer la barque. Depuis la mort de mon père, ma mère ne songe qu'à ma sécurité. Elle le dit tout le temps. C'est pour ça qu'elle a voulu renoncer au monde et rester sur l'île. Mais l'embêtant, c'est que plus je grandis et plus j'ai de choses à cacher. Le professeur Fletcher m'a appris à lire en cachette. Omeros m'a appris en cachette à faire des ricochets – Ishmael dit que c'est dangereux. Et c'est en cachette que j'ai donné à Prunille ce fouet à œufs. En plus, maintenant, j'ai encore un autre secret. Regardez ce que j'ai trouvé, enroulé dans une caisse en bois défoncée…

Tout le temps de l'échange, le comte Olaf n'avait plus pipé mot, se contentant de regarder les enfants d'un air furibard. Mais lorsque Vendredi révéla le secret caché sous sa tunique, il lâcha un cri perçant, encore plus haut perché que sa voix contrefaite. En revanche, aucun des enfants Baudelaire ne cria ni ne tressaillit à la vue de l'effroyable chose que la petite tenait dans ses bras.

Aussi grosse qu'un tuyau de gouttière, aussi noire et luisante qu'un ruban de réglisse, la chose se déroula vivement et fusa vers les trois enfants. Mais même lorsque la créature ouvrit grand les mâchoires et que le soleil fit luire ses dents pointues – deux crochets basculants conçus pour injecter du venin –, Violette, Klaus et Prunille, loin de s'épouvanter, s'émerveillèrent de voir leur histoire se détourner de son cours pour la seconde fois de la matinée.

– Incrédi ! s'écria Prunille.

Et c'était vrai. L'énorme serpent qui s'enroulait à présent autour de leurs chevilles était, de façon incroyable, une créature que les enfants Baudelaire n'avaient pas revue depuis longtemps, et qu'ils n'espéraient même plus revoir de leur vie.

– L'Incroyable vipère mort-sûre ! s'écria Klaus à son tour. La vipère mort-sûre du Bengale ! Mais… comment est-elle arrivée ici ?

– D'après Ishmael, dit Violette, tout finit, tôt ou tard, par s'échouer sur ces côtes, mais bon sang, je n'aurais jamais cru revoir cette mégavipère un jour.

– Vipère ? bredouilla Vendredi. Morsure ? Vous voulez dire… qu'elle est venimeuse ? Je lui trouvais l'air gentil, moi !

– Oh ! gentille, elle l'est, la rassura Klaus. C'est l'une des créatures les plus douces, les plus inoffensives de tout le règne animal. Pas plus dangereuse qu'une peluche. Son nom est une plaisanterie.

– Comment tu le sais ? s'étonna Vendredi.

– Nous avons connu le savant qui l'a découverte, expliqua Violette. Le professeur Montgomery Montgomery. C'est lui qui lui a donné ce nom. C'était un brillant herpétologue.

– Et quelqu'un de merveilleux, en plus, dit Klaus d'une voix étranglée. Il nous manque terriblement.

Les trois enfants étreignirent à pleins bras le gros serpent – surtout Prunille, qui avait noué des liens d'affection avec ce reptile joueur –, et firent silence en songeant, émus, au cœur d'or de l'oncle Monty et aux jours heureux passés auprès de lui. Puis le souvenir leur revint de la façon dont ces jours heureux avaient pris fin, et ils se tournèrent vers le comte Olaf, qui avait assassiné leur oncle dans ses manœuvres sans scrupules pour faire main basse sur leur héritage.

Cloué sur place, le regard fixe, Olaf observait la scène. C'était un spectacle étrange que ce truand pétrifié à la vue d'un serpent, lui qui n'avait pas hésité à tuer pour tenter de reprendre les orphelins dans ses griffes. À présent, loin du vaste monde, il semblait n'avoir même plus de griffes, et ses machinations diaboliques semblaient aussi lunaires en ce lieu que son lance-harpon.

– Un herpétologue ? dit Vendredi qui, bien sûr, ne connaissait pas toute l'histoire. Oh ! j'ai toujours rêvé d'en rencontrer un. Nous n'avons même pas de spécialiste des serpents ici, sur l'île. Il y a tant de choses du vaste monde dont j'ignore tout, à vivre ici !

– Le vaste monde est un lieu mauvais, laissa tomber le comte Olaf d'une voix plate.

Toute la joie des retrouvailles avec l'Incroyable vipère en fut ternie d'un coup. Malgré le soleil déjà haut, le cœur des enfants se glaça et c'est dans un silence de mort qu'ils regardèrent les îliens revenir avec les moutons, Ishmael sur son siège au milieu du traîneau tel un roi sur sa litière, les pieds emmaillotés d'argile blanche et la barbe volant au vent.

Lorsque le convoi fut proche, les enfants virent qu'autre chose était perché sur le traîneau, derrière le siège du facilitateur : la grande cage à oiseaux de style rococo apportée par l'avant-dernière tempête, étincelant au soleil comme une boule de Noël géante.

– Comte Olaf ! lança Ishmael d'une voix de stentor, comme son traîneau s'immobilisait à hauteur du petit groupe.

Du haut de son siège, il considérait le nouveau venu, et sous le mépris de son regard dur perçait une étrange intensité, comme s'il recherchait des traits connus.

– Ishmael ! s'écria le comte de sa voix perchée.

– Appelez-moi Ish.

– Appelez-moi Kit Snicket.

– Je vous appellerai comme il me plaira, gronda Ishmael. Votre règne perfide a pris fin, comte Olaf. (Sans crier gare, il se pencha de biais et, d'un geste large, arracha au comte sa perruque d'algues.) On m'a tout dit de vos traquenards et mascarades, et nous n'en voulons pas ici. En conséquence, nous vous arrêtons et vous plaçons sous les verrous incontinent.

À ces mots, Jonah et Sadie descendirent du traîneau la grande cage rococo, ils la déposèrent au
sol et en ouvrirent tout grand la porte, posant sur
Olaf un regard éloquent. Sur un signe d'Ishmael,
Weyden et Ms Marlow encadrèrent le truand et,
lui arrachant des mains le lance-harpon, ils le pré-
cipitèrent dans la cage sans lui laisser le temps de
dire ouf.

Les enfants Baudelaire observaient la scène, ne
sachant trop qu'en penser. D'un côté, il leur semblait avoir attendu toute leur vie d'entendre
retentir la sentence qu'Ishmael venait de prononcer, attendu toute leur vie de voir Olaf payer
enfin pour ses actes inqualifiables. D'ailleurs,
n'avait-il pas lui-même enfermé Prunille dans une
cage, un jour, pour la suspendre au-dessus du vide
à la fenêtre de sa tourelle ? D'un autre côté, le
comte Olaf sous clé dans une cage à son tour,
même une cage aussi spacieuse que cette petite
volière rococo, ce n'était pas tout à fait ce dont ils
avaient rêvé et il leur venait des doutes. Ce qui
se déroulait là, était-ce enfin le triomphe de la

justice ? Ou un regrettable événement de plus dans leurs désastreuses aventures ? Tout au long de leurs tribulations, les trois enfants avaient espéré voir un jour le comte Olaf aux mains des forces de l'ordre et sommé de répondre de ses méfaits devant la Haute Cour, dans un procès en bonne et due forme. Mais certains membres de la Haute Cour s'étaient révélés aussi inquiétants qu'Olaf lui-même, et les forces de l'ordre, quant à elles, étaient bien loin de cette île – sans compter que le trio Baudelaire figurait sur leurs listes de criminels à rechercher, pour meurtre et incendie volontaire.

Toutes ces raisons se cumulant, les trois enfants auraient été bien en peine de dire s'ils approuvaient ou non de voir le comte Olaf ainsi jeté dans une cage à oiseaux – mais en réalité, comme la plupart du temps, la question de savoir s'ils approuvaient ou non était sans importance, car la chose avait lieu.

Weyden et Ms Marlow achevèrent de pousser le comte, à son corps défendant, à l'intérieur de la cage,

l'obligeant à s'y plier en quatre comme un héron récalcitrant. Le malfrat gronda, pesta, jura, puis, resserrant les bras sur son ventre au volume incongru, il posa la tête sur ses genoux et fit le dos rond. Alors le frère et la sœur Bellamy refermèrent la porte de la cage et la cadenassèrent à triple tour. Le détenu rentrait dans sa prison, mais de justesse, et il fallait y regarder de près pour discerner, dans ce fatras de bras, de jambes, de cheveux et de velours couleur de feu, une personne complète.

– Déni de justice ! glapit Olaf d'une voix étouffée, quoique toujours aussi haut perchée, comme s'il ne pouvait s'empêcher de faire semblant d'être Kit Snicket. Je suis une malheureuse femme enceinte, innocente comme l'agneau qui vient de naître ! Les criminels, les vrais, ce sont ces trois enfants. Vous ne connaissez pas toute l'histoire !

– Affaire de point de vue, déclara Ishmael. Vous êtes un vilain bonhomme, Olaf, Vendredi nous l'a dit et cela nous suffit. D'ailleurs, cette perruque de varech le prouve. Nous n'avons pas besoin d'en savoir plus !

– Ishmael a raison, soutint Mrs Caliban. Vous ne savez que nuire, Olaf. Alors que les enfants Baudelaire n'ont jamais rien fait de mal !

– Jamais rien fait de mal, gloussa le comte. Ha ! Vous voulez dire qu'ils sont sages et obéissants et tout ?

– Exactement, dit Mrs Caliban.

– Ah oui ? Eh bien regardez plutôt dans la poche de la petite, pour voir comme elle est obéissante. Elle y cache un ustensile de cuisine. Que lui a donné, qui plus est, quelqu'un de tout aussi sage et obéissant !

Du haut de son poste d'observation, expression signifiant ici : « siège monumental perché sur un traîneau tiré par des moutons », Ishmael considéra la benjamine des Baudelaire.

– Est-ce vrai, Prunille ? s'enquit-il, sévère. Nous ferais-tu des cachotteries ?

Prunille leva les yeux vers le vieil homme, puis elle jeta un regard furtif vers la cage, se rappelant fort bien l'inconfort qu'il y avait à être enfermé.

– Oui, reconnut-elle, tirant le fouet à œufs de sa poche.

L'assistance frémit.

– Qui t'a donné ceci ? s'informa Ishmael.

– Personne, se hâta de répondre Klaus, évitant avec soin de regarder Vendredi. C'est juste un objet qui a survécu à la tempête avec nous. (Il plongea une main dans sa poche et en retira son calepin.) Chacun de nous a quelque chose, Ishmael, dit-il. Moi, j'ai ce carnet de notes et notre sœur aînée, un ruban pour attacher ses cheveux.

L'assistance frémit derechef, et Violette tira le ruban de sa poche.

– Nous ne pensions pas à mal, dit-elle.

– Vous avez été informés des us et coutumes de l'île, que je sache, reprit le facilitateur. Et vous avez choisi de ne pas vous y conformer. Nous avons fait preuve de bonté envers vous. Nous vous avons nourris, logés, vêtus, nous vous avons même permis de garder vos lunettes. Et vous, en retour, vous nous trompez.

– C'est une erreur de leur part, intervint Vendredi, retirant prestement des mains des trois enfants les objets interdits – non sans un bref regard de gratitude pour Klaus. Donnons tout ça aux moutons et il n'y aura plus qu'à oublier.

– Voilà qui m'a l'air juste, dit Sherman.

– Tout à fait d'accord, dit le professeur Fletcher.

– Moi aussi, décida le jeune Omeros, qui venait de ramasser le lance-harpon.

Ishmael parut rechigner, puis, comme la majorité penchait clairement pour cette solution, il finit par céder à la pression des pairs.

– Bien, dit-il avec un sourire réticent. Ils peuvent rester, je suppose, mais à une condition : ne plus secouer la barque et ne…

Il se tut net, les yeux rivés sur une flaque. Trouvant sans doute la discussion longuette, l'Incroyable vipère avait décidé de s'offrir un bain et, de ses beaux yeux vert fluo, elle contemplait le facilitateur depuis une petite mare d'eau de mer.

– Qu… qu'est-ce que c'est ? s'alarma Mr Pitcairn.

– Un gentil serpent que nous avons trouvé, répondit Vendredi.

– Gentil ? Et qui te l'a dit ? demanda Ferdinand.

Vendredi jeta aux enfants Baudelaire un petit regard de désarroi. Après ce qui venait de se passer, l'espoir de convaincre Ishmael de garder le reptile semblait mince.

– Personne, répondit-elle d'un ton faussement léger. Il m'a paru gentil, c'est tout.

– Je lui trouve plutôt l'air dangereux, décréta Erewhon. Incroyablement, même. Venimeux et tout. Aux moutons !

– Aux moutons, je ne pense pas, dit Ishmael très vite, se caressant la barbe. Il pourrait leur faire du mal. Je ne veux pas vous forcer, mais je crois qu'il vaut mieux l'abandonner ici, sur la grève, avec le comte Olaf… (Il se tourna vers le radeau de livres.) Ce qui doit partir pour le dépotoir, en revanche, et vite, c'est ce gros paquet. Enfants Baudelaire, veuillez nous aider à le pousser…

– Euh, notre amie ne doit surtout pas être déplacée, se hâta de dire Violette, indiquant du geste Kit Snicket, toujours inconsciente au sommet de son radeau. Elle a besoin d'être secourue.

– Hé ! Je n'avais même pas vu qu'il y avait quelqu'un, moi, là-haut ! s'écria Mr Pitcairn, avisant le pied nu qui dépassait. Dites ! vous avez vu ? Elle a le même tatouage que le truand !

– C'est ma petite amie, déclara Olaf depuis sa cage. Soit vous nous punissez tous deux, soit vous nous libérez tous deux.

– Ce n'est pas votre petite amie ! s'indigna Klaus. C'est notre amie à nous, et elle a besoin d'aide.

Ishmael poussa un soupir appuyé.

– Décidément, vous trois, dès l'instant où vous mettez les pieds sur notre île, les mensonges et les fourberies débarquent. Jusqu'ici, jamais nous n'avions eu à punir quiconque, et nous voilà avec un nouveau suspect sur les bras.

– Dreyfuss ? demanda Prunille ; autrement dit : « En voilà des accusations ! Pourriez-vous être plus précis ? »

Mais le vieil homme poursuivait, imperturbable :

– Je ne veux pas vous forcer, enfants Baudelaire. Mais si vous souhaitez vous joindre au havre de paix que nous avons créé ici, vous devez oublier cette Kit Snicket – même si je n'ai jamais entendu parler d'elle.

– L'oublier ? s'insurgea Violette. Vous voulez dire l'abandonner ? Jamais de la vie ! Elle a besoin de nous.

– Comme je l'ai dit, je ne veux pas vous forcer, reprit Ishmael, tripotant sa barbe. Adieu, enfants Baudelaire. Libre à vous de rester sur ces grèves avec vos livres et votre amie, si tout cela vous est si précieux.

– Mais que va-t-il advenir d'eux ? s'inquiéta Willa. Le jour de la Décision arrive, la mer va monter…

– C'est leur problème, dit Ishmael.

Et il ponctua ses dires d'un haussement d'épaules magistral – si magistral que quelque chose s'échappa de sa manche et alla rouler sur le sable pour achever sa course, avec un petit *plouf !* joyeux, au creux d'une flaque de vase, tout près de la cage d'Olaf. Les enfants Baudelaire n'eurent pas le temps de voir de quoi il s'agissait, mais Ishmael frappa bien fort dans ses mains, comme pour en détourner l'attention.

– On y va ! lança-t-il, et les moutons s'ébranlèrent en direction de la terre ferme.

Plusieurs îliens jetèrent aux enfants des regards navrés, comme s'ils désapprouvaient les suggestions d'Ishmael mais n'osaient s'opposer à la pression de leurs pairs. Omeros et le professeur Fletcher, qui avaient leurs secrets à eux, semblaient particulièrement désolés, et Vendredi était au bord des larmes. Elle parut sur le point de dire quelque chose, mais sa mère la prit par les épaules et la petite ne put qu'adresser au trio un signe de la main avant de se laisser emmener.

Un long moment, les trois enfants furent trop abasourdis pour parler. Contre toute attente, le comte Olaf n'avait pas berné ces îliens qu'il traitait d'arriérés, il s'était même fait écrouer. Mais eux n'y gagnaient rien : ils se voyaient rejetés comme des épaves.

– Pas juste, murmura Klaus pour finir.

Mais les îliens ne risquaient pas de l'entendre. Seuls l'entendirent ses sœurs et le reptile que les enfants avaient cru ne plus jamais revoir, et bien sûr aussi le comte Olaf tassé dans sa cage, fauve emprisonné – le comte Olaf qui fut le seul à répondre.

– La vie n'a rien de juste, dit-il de sa vraie voix, sa voix de comte Olaf. Jamais.

Et, pour la première fois peut-être, les trois enfants étaient entièrement de son avis.

Chapitre VII

–Je n'arrive pas à y croire, disait Violette. Je n'arrive pas à croire qu'ils nous aient…

Elle se tut, ne trouvant pas de mot à sa convenance.

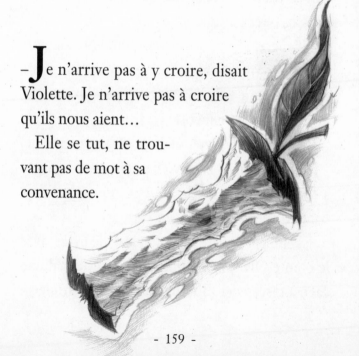

– Qu'ils nous aient ostracisés ? proposa Klaus, redescendant prudemment le long de la paroi du radeau de livres, qu'il venait d'escalader pour jeter un coup d'œil à Kit.

– Belon ? s'étonna Prunille.

– Oui, dit Klaus, trop heureux de cette occasion d'expliquer le sens d'un mot. « Ostraciser », c'est bannir. Tenir à l'écart, si tu préfères, interdire de séjour. Et ça vient d'un mot grec – j'ai oublié lequel – qui veut bel et bien dire huître, parce que, dans la Grèce antique, quand on voulait bannir un suspect, chacun inscrivait son vote sur une coquille d'huître ou sur un tesson en forme de coquille. Sauf qu'ici on ne peut pas dire que les gens aient vraiment voté.

– Non, dit Violette, mais ça revient au même.

De nouveau, les enfants se turent. Ils songeaient à toutes les fois où ils avaient été ostracisés – bannis, rejetés. Mais là, sur cette grève, avec Kit Snicket inconsciente sur un radeau de livres, avec le comte Olaf plié en quatre à l'intérieur d'une cage à oiseaux et l'Incroyable vipère enroulée à leurs pieds, l'ostracisme était plus criant que jamais, même si les seules coquilles en vue étaient de pétoncles et de moules.

Klaus poussa un long soupir.

– Et dire qu'en arrivant ici nous avions cru couper les ponts avec tous nos ennuis…

– Naouwott ? demanda Prunille.

Violette parcourut les grèves du regard.

– Pour ce qui est de manger, dit-elle, on peut toujours ramasser des coquillages et des algues, peut-être même prendre du poisson. Ça ne nous changera pas beaucoup.

– Si feu, dit Prunille pensive, bouillabaisse.

– Mais on ne va pas *vivre* ici, fit observer Klaus. La fameuse grande marée approche, vous savez bien, le jour de la Décision. Les grèves vont être entièrement submergées, tout autour de l'île, au ras de la terre ferme. Il n'y a pas trente-six solutions : soit nous vivons sur l'île, soit nous trouvons le moyen de retourner d'où nous venons.

– Sans bateau ? dit Violette.

Machinalement, elle esquissa le geste de chercher son ruban pour s'attacher les cheveux.

– Kit a fait, rappela Prunille.

– Drôle de radeau, à propos, dit Klaus, passant une main le long de la muraille de livres détrempés. Mais rien ne dit qu'elle soit venue de bien loin.

– J'espère qu'elle a trouvé les Beauxdraps, murmura Violette.

– J'espère qu'elle va se réveiller et tout nous raconter, murmura Klaus.

– À votre avis, elle est blessée ou pas ?

– Difficile à dire sans un examen médical approfondi, répondit Klaus. À première vue, à part sa cheville, elle a l'air indemne. J'ai l'impression qu'elle dort. Cette tempête a dû l'épuiser.

– Souci, dit Prunille d'une petite voix triste ; ce qui signifiait, grosso modo : « Si seulement on avait une couverture sèche pour la protéger ! »

– Que oui, dit Klaus. Une pour Kit, et une pour nous aussi.

– Réfléchissons à un plan d'action, dit Violette d'un ton las.

Alors les trois enfants poussèrent trois longs soupirs. Même la mégavipère parut soupirer, puis elle posa la tête, par compassion, sur les pieds de Prunille. Il y eut un nouveau silence tandis que les enfants réfléchissaient – non pas tellement à un plan d'action pour le futur proche, mais aux plans d'action du passé, tous ceux qu'ils avaient mis en œuvre jusqu'alors, ne se tirant de chaque péril que pour se retrouver face à un autre. Cette réflexion morose aurait pu s'éterniser, mais le silence fut brisé par le croassement d'un grand oiseau en cage.

– Un plan ? ricana soudain le comte Olaf. J'en ai un ! Ouvrez-moi, je vous dirai lequel.

Il avait beau ne plus forcer sa voix, elle sortait toute déformée de l'intérieur de la cage et, lorsque les enfants se tournèrent vers lui, une fraction de seconde ils le crurent déguisé une fois de plus. Sa robe orange et jaune semblait emplir la cage entière. On ne voyait plus ni sa fausse grossesse, ni le tatouage à sa cheville. Tout juste si l'on devinait un orteil ou deux, trois doigts osseux crispés sur un barreau et, à mieux y regarder, un petit œil luisant, luisant et un coin de bouche au rictus amer.

– Vous ouvrir ? dit Violette. N'y comptez pas ! Nous avons bien assez d'ennuis comme ça. Pas besoin de vous avoir, en prime, en train de courir dans la nature.

– À votre aise, dit-il – et une tentative de haussement d'épaules fit bruire sa robe. Mais je vous préviens : la mer va monter, vous finirez noyés. Et n'espérez pas construire un bateau : ces insulaires ont ratissé les grèves. Et n'espérez pas non plus qu'ils vous acceptent sur l'île : vous y êtes interdits de séjour. Idem pour moi, d'ailleurs. Naufrage ou pas, nous sommes toujours dans le même bateau, vous et moi.

– Nous n'avons que faire de votre aide, Olaf, grogna Klaus. D'ailleurs, sans vous, nous ne serions même pas ici.

– Ça reste à voir, moucheron, dit le comte – et son coin de bouche s'étira en un sourire sardonique. Ça reste à voir. Tôt ou tard, tout finit par s'échouer sur cette île, pour s'y faire évaluer par cet abruti en burnous. Croyez-vous donc être les premiers Baudelaire à mettre le pied ici ?

– Comanssa ? demanda Prunille, incrédule.

Il eut un gloussement étouffé.

– Ouvrez-moi et vous le saurez.

Les enfants échangèrent un regard dubitatif.

– Encore une de vos manœuvres, dit Violette.

– Bien sûr que oui, c'est une manœuvre ! éclata le comte. Et comment croyez-vous donc que tourne le monde, enfants Baudelaire ? Chacun manœuvre. Comme il peut. Chacun se balade avec ses secrets, chacun essaie d'être plus malin que les autres. Ishmael a été plus malin que moi, il m'a fait fourrer dans cette cage. Mais je sais que faire pour le rouler, et rouler tous ces demeurés. Si vous m'ouvrez, je sais comment devenir le roi d'Olaffia. Et je ferai de vous mes écuyers, vous trois.

– Nous n'avons nulle envie d'être vos écuyers, dit Klaus. Tout ce que nous voudrions, c'est être en sécurité.

– La sécurité n'existe pas, asséna Olaf. Nulle part en ce monde.

– Surtout pas quand vous êtes dans le coin.

– Je ne suis pas pire qu'un autre. Ishmael est au moins aussi retors que moi.

– Futaine, dit Prunille.

– Mais c'est la vérité ! insista Olaf, bien qu'il n'eût sans doute pas compris ce que venait de dire la toute-petite. D'ailleurs, voyez ! Me voilà en cage, et sans raison valable ! Ça ne te rappelle rien, ça, mouflette ?

– Ma sœur n'est pas une mouflette, intervint Violette, et Ishmael n'est pas retors. Il n'est peut-être pas toujours bien inspiré, ça, d'accord. Mais ses intentions sont honnêtes : faire de cette île un havre de paix.

– Honnête ? railla Olaf, et la cage fut prise de hoquets. Si vous jetiez un coup d'œil dans cette flaque, histoire de voir ce qu'Ishmael y a laissé tomber ?

Les enfants s'entre-regardèrent. Cette petite chose échappée de la manche du facilitateur, ils l'avaient presque oubliée. Avec ensemble, ils se penchèrent sur la flaque, mais c'est l'Incroyable vipère qui, fouillant dans la vase, en ressortit avec sa trouvaille entre les mâchoires pour en faire offrande à Prunille.

Violette se pencha vivement.

– Qu'est-ce que c'est ?

– Un trognon de pomme, diagnostiqua Klaus.

Et il disait vrai. C'était bien un trognon de pomme que tenait Prunille au creux de sa main, un trognon de pomme rongé avec tant de savoir-faire qu'il n'en restait quasiment rien.

– Voyez ? triompha Olaf. Pendant que les autres font tout le boulot, Ishmael file en douce à l'autre bout de l'île sur ses pieds parfaitement valides et s'y goberge de pommes en cachette. Le voilà, votre grand homme ! Croyez-moi, il n'a pas seulement les pieds dans l'argile ; il a des pieds d'argile, aussi !

La cage à oiseaux fut prise de nouveaux soubresauts et les enfants Baudelaire échangèrent un long, très long regard. « Avoir des pieds d'argile » se dit en général d'un colosse, ou de quelqu'un de très puissant, et il est clair que ce genre de pieds a de quoi vous fragiliser, même si tout le reste est solide. L'argile est un matériau friable, de sorte que même si nul ne remarque que vos pieds sont en argile, vous avez là une faiblesse cachée qui risque de vous faire basculer tôt ou tard, telle une statue dont la base présente un défaut.

Sans mot dire, les trois enfants s'efforcèrent de récapituler ce qu'ils savaient d'Ishmael.

Ils l'avaient jugé dans son tort, bien sûr, pour les avoir bannis de l'île. Mais ils s'étaient dit qu'il le faisait pour protéger la colonie, un peu comme Mrs Caliban croyait protéger Vendredi en refusant de lui apprendre à lire. Et ils avaient eu beau approuver rarement le point de vue du vieil homme, du moins avaient-ils respecté le fait qu'il s'efforçait de créer ce qu'eux-mêmes recherchaient depuis si longtemps, depuis le triste jour qui les avait fait orphelins : un refuge, un lieu sûr, tant pour lui-même que pour ses compagnons, un endroit où se dire : « Je suis chez moi. »

Mais Olaf n'avait pas tort ; ce trognon de pomme changeait tout. Il trahissait chez Ishmael une faiblesse cachée, et même plusieurs. Ishmael mentait en se prétendant estropié. Il faisait preuve d'égoïsme en se réservant les pommes ; et de fourberie en faisant travailler tout le monde tandis que lui ne levait pas le petit doigt. Les yeux sur les marques de dents, les trois enfants passaient en revue différentes bizarreries du facilitateur : ses affirmations sur ses pouvoirs magiques, l'étrange lueur dans ses yeux lorsqu'il affirmait qu'aucun livre, jamais, n'était venu s'échouer sur ces grèves… Quels autres secrets encore le sage à barbe blanche cachait-il ?

Étourdis par la découverte, Violette, Klaus et Prunille se laissèrent tomber assis sur une levée de gravier fin, comme si eux-mêmes avaient les pieds d'argile. Puis, au bout d'un long silence, Violette demanda au comte Olaf :

– Et quel est-il, ce plan, au juste ?

– Ouvrez-moi, je vous le dirai.

– Dites d'abord, rétorqua Klaus, et ensuite, peut-être, nous vous ouvrirons.

– Ouvrez d'abord.

– Dittdabor, insista Prunille, inflexible.

– Oh ! ça va, gronda Olaf. Ne comptez pas sur moi pour jouer à « Non ! », « Si ! », « Non ! », « Si ! » toute la sainte journée. Ouvrez-moi et je vous dis tout. Sinon, j'emporterai mon plan dans ma tombe !

– Un plan, déclara Violette d'un ton qu'elle voulait assuré, nous pouvons très bien en trouver un sans vous. Nous nous sommes tirés d'un tas de mauvaises passes sans votre aide.

– Je dispose de la seule arme capable de faire trembler Ishmael et sa clique.

– Le lance-harpon ? dit Klaus. Omeros l'a emporté.

– Pas le lance-harpon, monsieur Je-sais-tout, reprit Olaf avec condescendance – expression signifiant ici : « en tentant de se gratter le nez malgré l'exiguïté de la cage ». Le champignon tueur.

– Médusoïde ! cria Prunille.

Ses aînés se figèrent, et même l'Incroyable vipère, à sa manière reptilienne, parut retenir son souffle. La suite, ils l'avaient devinée tous les quatre – et vous aussi probablement.

– Je n'attends pas d'heureux événement, confessa Olaf comme s'il révélait un scoop. Ce que j'ai là, sous ma robe, c'est le casque de scaphandre contenant les spores de mort. Si vous m'ouvrez, je pourrai menacer la colonie entière. Et, grâce à cette arme fatale, tous ces attardés en robe blanche m'obéiront au doigt et à l'œil !

– Et s'ils refusent ? demanda Violette.

– Alors je fracasserai ce casque. Et tout ce qui respire sur cette île sera occis !

– Mais nous aussi, nous serons occis, dit Klaus. Les spores ne feront pas d'exception pour nous. Ni pour vous !

– Plujamessa, dit Prunille.

La fausse golmotte médusoïde, la petite en avait été victime peu auparavant, et les trois enfants aimaient mieux ne pas songer à ce qui se serait passé s'ils n'avaient disposé d'un peu de wasabi, antidote à ce poison mortel.

– Nous ? Nous filerons grâce au canoë, petite

tête ! gloussa Olaf. Ces innocents ont passé une année entière à le bâtir. Il sera parfait pour décamper et retourner où il y a de l'action.

– En fait, hasarda Violette, il se peut qu'ils nous laissent repartir, tout simplement. D'après Vendredi, quiconque souhaite quitter l'île peut le faire à bord du grand canoë, le jour de la Décision.

Olaf eut un petit ricanement.

– Cette gamine manque d'expérience, si vous voulez mon avis. Elle croit encore qu'Ishmael laisse les gens faire ce qui leur chante. Ne soyez pas aussi cruchons qu'elle, orphelins !

Klaus aurait donné cher pour avoir son précieux calepin et pouvoir prendre des notes. Dire qu'à présent le carnet bleu nuit était sans doute au dépotoir, quelque part à l'autre bout de l'île !

– Comment se fait-il que vous en sachiez si long sur l'endroit, Olaf ? s'avisa-t-il. Vous n'êtes ici que depuis quelques jours, tout comme nous !

– *Tout comme nous*, singea le scélérat – et de nouveau la cage fut secouée de son grand rire. Tu t'imagines peut-être que ta misérable histoire est

la seule au monde, vermisseau ? Que cette île dormait en t'attendant comme son prince charmant ?
Tu t'imagines peut-être que je me tournais les
pouces chez moi, sans rien faire, en attendant le
jour où vous autres lardons viendriez à croiser
mon chemin ?

– René, dit Prunille ; ce qui signifiait, en gros :
« Ne nous racontez pas votre vie, s'il vous plaît. »

L'Incroyable vipère siffla doucement comme
pour approuver, mais Olaf n'avait rien compris.

– Ah ! je pourrais vous en raconter, des choses,
enfants Baudelaire ! Je pourrais vous révéler des
secrets sur des gens et des lieux dont vous ignorez
jusqu'à l'existence. Des choses que vous n'auriez
même pas l'idée d'imaginer. Des histoires de
discorde, de zizanie, d'escarmouches, entamées
longtemps avant votre naissance. Même sur
vous, tenez ! je pourrais vous dire des choses dont
vous n'avez pas la moindre idée. Ouvrez cette
cage, orphelins, et je vous en révélerai plus long
en cinq minutes que vous n'en découvrirez seuls
en une vie.

Les enfants échangèrent un regard et frissonnèrent. Même en plein jour, même dans une cage, le comte Olaf avait de quoi vous donner la chair de poule. Son pouvoir de nuisance semblait illimité, et apte à s'exercer en toutes circonstances, en tous lieux. Ce qui ne les incitait guère à le prier de leur en dire plus long.

Ce n'est pourtant pas que ces trois-là manquaient de curiosité. Violette avait brûlé de percer les mystères de la mécanique du jour où on avait déposé dans son couffin sa première pince universelle. Klaus avait brûlé de lire tout ce qui lui passait entre les mains du jour où un ami de la famille avait tracé un alphabet sur les murs de sa chambre de bébé. Et Prunille avait brûlé d'explorer le monde des arts de la bouche du jour où elle avait sucé son premier hochet, avant même de mordre tout ce qui pouvait se mordre, puis de goûter – prudemment – à tout ce qui pouvait se goûter. Oui, la curiosité faisait partie, plutôt deux fois qu'une, des coutumes des enfants Baudelaire. On aurait donc pu les croire curieux d'entendre ce qu'Olaf avait à leur dire. Mais il y avait quelque chose de profondément sinistre dans sa façon de présenter les choses. L'écouter, c'était comme se pencher sur un puits sans margelle, comme longer dans l'obscurité le bord d'une falaise, comme tendre l'oreille, la nuit, à un étrange bruissement sous la fenêtre, sachant qu'à tout moment l'impensable peut s'inviter sans prévenir. L'écouter, c'était revoir en pensée, sur l'écran radar du *Queequeg*, cette chose non identifiée en forme de point d'interrogation – cette chose tellement immense, tellement démesurée qu'elle ne pouvait, les enfants le savaient, se caser tout entière dans leurs esprits ni dans leurs cœurs, cette chose demeurée enfouie toute leur vie – et qui pouvait l'anéantir, une fois révélée. Ce qu'était cette chose au juste, les trois enfants ne tenaient pas à l'apprendre, pas plus de la bouche du comte Olaf que de quiconque. Et même si c'était là une chose inévitable, ils n'en voulaient pas moins l'éviter. Aussi, sans un mot de plus, se levèrent-ils d'un commun accord pour contourner le radeau de livres et aller s'asseoir de l'autre côté, d'où ils ne voyaient plus ni le comte ni sa cage.

Là, adossés à l'insolite esquif, ils contemplèrent en silence l'horizon de mer tiré au cordeau, s'efforçant de ne plus songer à ce qu'Olaf venait de dire. De loin en loin, ils buvaient une petite gorgée de cordial, dans l'espoir que l'étrange breuvage entêtant ferait taire les étranges pensées entêtantes qui leur trottaient sous le crâne. Tout l'après-midi, et jusqu'à l'heure où le soleil rouge commença de sombrer dans les vagues, les trois enfants assis dans le sable sirotèrent à petites gorgées, se demandant s'ils oseraient jamais regarder en face la chose tapie au fond de leurs vies, sous la dernière pelure de cachotteries, de non-dits, de secrets funestes.

Chapitre VIII

Penser à quelque chose, c'est un peu comme ramasser une pierre tout en cheminant, que ce soit pour faire des ricochets sur une plage ou pour fracasser les portes de verre d'un musée. Chaque fois que vous pensez à une chose, vous vous alourdissez d'autant. À mesure que vous pensez à ceci, à cela, puis à autre chose encore, vous vous alourdissez, jusqu'au moment où vous êtes si lesté que vous ne pouvez faire un pas de plus ; et vous restez planté, à regarder s'agiter mollement la surface de l'océan ou les gardes chargés de la sécurité, trop occupé que vous êtes à brasser des tonnes de pensées pour faire quoi que ce soit d'autre en même temps.

Au coucher du soleil, lorsque les ombres sur la grève se firent démesurément longues, les enfants Baudelaire s'étaient alourdis de tant de pensées qu'ils pouvaient à peine remuer. Ils pensaient à cette île étrange, à la tempête sans merci qui les avait jetés là, au bateau qui les avait portés à travers cette tempête, au délit qu'ils avaient commis à l'hôtel Dénouement, délit qui les avait contraints à fuir à bord du bateau susdit en compagnie du comte Olaf – lequel, pour l'heure, avait enfin cessé de les appeler à cor et à cri et ronflait comme un blaireau dans sa cage à oiseaux. Ils pensaient à la colonie sur l'île, ils pensaient à leur bannissement, à la pression des pairs qui avait provoqué ce bannissement, au facilitateur qui avait provoqué la pression des pairs, au trognon de pomme dissimulé, cachotterie qui leur semblait au moins aussi condamnable que celle de camoufler les objets désapprouvés qui leur avaient valu à eux de se retrouver dans ce pétrin. Ils pensaient à Kit Snicket, à la tempête qui l'avait laissée inconsciente au sommet de l'étrange biblio-bus flottant, à leurs amis les triplés Beauxdraps qui peut-être avaient été pris dans cette même tempête, au sous-marin du capitaine Virlevent tapi quelque part au fond des mers et au mystérieux schisme qui semblait tapi au fond de tout, immense point d'interrogation à sa manière.

Mais plus encore, comme chaque soir au déclin du jour, ils pensaient à leurs parents. Si vous avez vécu un deuil, vous savez que parfois, lorsque nous songeons à ceux qui nous manquent, nous essayons d'imaginer où ils se trouvent à l'instant même, et les trois enfants, ce faisant, ne pouvaient s'empêcher de penser combien leurs parents leur semblaient à présent infiniment lointains, alors que toute la perfidie du monde se nichait à quelques pas de là, tout entière concentrée dans une cage à oiseaux rococo. Violette pensait, Klaus pensait, Prunille pensait et, à mesure que le jour tombait, il leur semblait déborder de pensées au point de ne plus pouvoir en contenir une de plus. Et cependant, juste comme les derniers feux du couchant venaient de s'éteindre à l'horizon, une voix se fit entendre, qui les obligea à penser encore.

– Où suis-je ? demanda Kit Snicket.

Et, par-dessus les ronflements olaffiens, les enfants entendirent remuer au-dessus d'eux.

– Kit ! s'écria Violette, sautant sur ses pieds. Vous êtes réveillée !

– C'est nous, cria Klaus. Les enfants Baudelaire !

– Baudelaire ? répéta Kit d'une voix affaiblie. C'est vous, vraiment ?

– Anaïs, assura Prunille ; autrement dit : « En chair et en os. »

– Où sommes-nous ? demanda Kit.

Les trois enfants furent pris de court. À leur grande confusion, ils ignoraient tout du nom de l'endroit.

– Sur une plate-forme littorale, répondit Violette, se gardant bien de préciser qu'ils y étaient assignés à résidence.

– Il y a une île tout près d'ici, ajouta Klaus, se gardant bien de préciser qu'ils n'étaient plus admis à y mettre les pieds.

– Lieu sûr, compléta Prunille, se gardant bien de préciser que très bientôt une grande marée devait noyer tout l'estran.

Sans se concerter, les trois enfants avaient résolu de ne pas raconter à Kit toute l'histoire, pas encore.

– Ah ! évidemment, murmura-t-elle. J'aurais dû m'en douter. Tôt ou tard, tout finit sur ces côtes.

– Vous êtes déjà venue ici ? s'étonna Violette.

– Moi, non. Mais j'ai entendu parler de cette île bien des fois. De son merveilleux centre de recherches en génie mécanique, de sa très grande bibliothèque, de sa gastronomie raffinée. Tenez, pas plus tard que la veille du jour où je vous ai rencontrés, enfants Baudelaire, j'ai pris un café turc avec un confrère qui me disait n'avoir jamais mangé de meilleures huîtres à la Rockefeller que durant son séjour sur cette île. Vous devez vous sentir comme des poissons dans l'eau, vous trois, ici.

– Roberval, commenta Prunille, soupesant le pour et le contre et découvrant un peu plus de contre que lors de l'évaluation précédente.

– L'endroit a dû changer, je pense, depuis le séjour de votre confrère, avança Klaus.

– C'est vraisemblable, reconnut Kit, songeuse. Les souvenirs de Jeudi ne datent pas d'hier. Et il m'a bien dit, quand j'y pense, que la colonie avait été déchirée par un schisme, tout comme V.D.C.

– Un schisme ? dit Violette. Un autre ?

Du haut de son perchoir, Kit eut un pauvre petit rire.

– Oh ! des schismes, vous savez, l'humanité en a connu plus d'un. Croyez-vous donc que l'histoire de V.D.C. soit unique au monde ? Mais assez parlé du passé. Dites-moi plutôt comment vous êtes arrivés ici.

– Comme vous, répondit Violette. Rejetés sur ces grèves. Naufragés. Le seul moyen de quitter l'hôtel Dénouement était de filer par bateau...

– J'en étais sûre, que vous aviez eu de gros ennuis là-bas. Nous avions vu la fumée et compris le signal : vous nous préveniez qu'il y avait danger à venir vous rejoindre. Merci, enfants Baudelaire. Je savais pouvoir compter sur vous. Dites-moi, Dewey est-il avec vous ?

Ces quelques mots, sur les trois enfants, firent l'effet d'un coup de poignard. La fumée qu'avait vue Kit était, bien sûr, celle de l'incendie qu'ils avaient eux-mêmes déclenché à la laverie de l'hôtel – pour lancer l'alarme, certes, après le fiasco du pseudo-procès d'Olaf, mais au péril de la vie de tous ses occupants, les scélérats comme les innocents. Quant à Dewey, il m'en coûte de le rappeler, il ne pouvait se trouver auprès du trio puisqu'il reposait au fond d'un étang, toujours cramponné au harpon dont les enfants, par acci-dent, lui avaient percé le cœur. Mais Violette, Klaus et Prunille ne se sentaient pas la force de raconter à Kit toute l'histoire, pas déjà. Ils ne se sentaient pas de taille à lui dire ce qui était arrivé à Dewey, ainsi qu'à d'autres êtres au cœur noble croisés en chemin. Pas pour le moment, pas pour l'heure. Peut-être jamais.

– Non, dit Violette. Dewey n'est pas avec nous.

– Qui est avec nous, en revanche, dit Klaus, c'est le comte Olaf. Mais sous clé.

– Vipère, compléta Prunille.

– Ink ? Oh ! quelle joie de la savoir saine et sauve, dit Kit avec du soleil dans la voix. Oui, Ink, c'est le petit nom que je donne à l'Incroyable vipère mort-sûre de ce cher Monty. C'est elle qui m'a tenu compagnie, affectueusement, sur ce radeau, lorsque nous avons été séparées des autres.

– Les autres ? répéta Klaus. Les Beauxdraps, vous voulez dire ? Vous les avez retrouvés ?

– Oui, répondit Kit, et elle toussota. Mais ils ne sont pas ici.

– Peut-être que la mer va les amener sur ces côtes, eux aussi, dit Violette.

– Peut-être, dit Kit d'un ton incertain. Et peut-être que Dewey nous rejoindra aussi. Plus nous serons nombreux, mieux cela vaudra, pour regagner le monde et assurer que justice soit faite. Mais d'abord, je veux rencontrer ces colons dont j'ai tant entendu parler. J'ai grand besoin d'une douche et d'un bon repas, après quoi vous me raconterez tout.

Elle esquissa le geste de descendre de son perchoir, mais s'arrêta net avec un petit cri de douleur.

– Il ne faut pas que vous bougiez, surtout, s'empressa de dire Violette, soulagée d'avoir cette excuse pour retenir Kit sur la grève. Vous êtes blessée à un pied.

– Je suis blessée aux *deux* pieds, rectifia Kit, se rallongeant à regret sur son radeau. Le téléscripteur m'est tombé sur les jambes lors de l'attaque du sous-marin… J'ai besoin de vous, enfants Baudelaire. Besoin de votre aide, besoin de me retrouver bien vite en lieu sûr.

– Nous allons faire notre possible, promit Klaus.

– Oh ! et voici du secours, on dirait, ajouta Kit. En tout cas, quelqu'un vient…

Les enfants se tournèrent vers l'île et en effet, au loin, sur fond sombre, une petite lumière dansait – un point très menu, très vif, qui semblait se diriger vers eux en sautillant. Au début, ce ne fut guère qu'un ver luisant qui zigzaguait de façon bizarre, puis les enfants devinèrent qu'il devait s'agir d'une torche électrique, grâce à laquelle deux silhouettes claires se frayaient un chemin sur la grève, entre flaques et restes d'épaves. À la vue de cette torche, Klaus se souvint soudain de ses lectures nocturnes sous les couvertures, dans la grande demeure Baudelaire, tandis qu'au-dehors montaient dans la nuit toutes sortes de bruits non identifiés, bruits que ses parents, invariable-ment, attribuaient au vent, y compris les soirs où il n'y avait pas un souffle de brise. Parfois, le matin, lorsqu'il entrait dans la chambre de Klaus pour lui dire de se lever, son père le trouvait sous les draps, dormant encore, sa torche électrique dans une main et son livre dans l'autre. Et plus cette torche inconnue approchait, plus le garçon avait du mal à se défendre de l'espoir fou que, peut-être, c'était leur père qui venait ainsi à tra-vers les grèves au secours de ses trois enfants, après si longtemps.

Mais bien sûr tel n'était pas le cas. Les silhouettes claires parvinrent enfin au pied du radeau de livres, et les enfants reconnurent deux îliennes : Finn, qui tenait la torche, et Erewhon, qui portait un grand panier couvert.

– Bonsoir, enfants Baudelaire, dit Finn.

À la lueur de la torche, elle semblait plus jeune encore qu'en plein jour.

– Nous vous apportons un petit souper, dit Erewhon, montrant le panier aux enfants. (À la lueur de la torche, elle semblait plus vieille encore qu'en plein jour.) Nous nous sommes dit que vous deviez commencer à avoir faim, ici, vous autres.

– Un peu, avoua Violette.

Les trois enfants, bien évidemment, auraient préféré voir les deux femmes manifester leur sympathie devant Ishmael et les autres, au moment où la colonie avait pris la décision de les exiler sur la grève. Mais lorsque Finn ouvrit le panier et qu'ils humèrent la soupe à l'oignon de tradition sur l'île, leurs estomacs leur dictèrent de ne pas trop en vouloir à leurs donatrices pour avoir manqué d'audace quelques heures plus tôt.

– Y en a-t-il assez pour notre amie ? demanda Klaus. Elle est revenue à elle.

– À la bonne heure ! dit Finn. Oui, oui, il y en a largement pour quatre.

– Juste une chose, ajouta Erewhon. N'en parlez à personne, surtout. Ishmael risquerait de ne pas apprécier.

– Je suis surprise qu'il n'interdise pas les torches électriques, dit Violette, prenant des mains de Finn un bol de coco empli de soupe fumante.

– Ishmael n'interdit rien, rappela Finn. Il n'a pas voulu me forcer à jeter cette torche. Bon, c'est vrai, il a vivement suggéré de la placer sur le traîneau, mais moi, j'ai préféré la glisser dans ma poche en secret, et Madame Nordoff, en secret, m'a fourni des piles pour me remercier de lui avoir appris en secret la technique du chant tyrolien, dont Ishmael disait qu'il risquerait d'affoler tout le monde.

– Et Mrs Caliban, en secret, m'a glissé ce panier de pique-nique, enchaîna Erewhon, pour me remercier de lui avoir enseigné en secret la brasse papillon, dont Ishmael dit qu'elle ne fait pas partie de nos coutumes.

– Mrs Caliban ? dit la voix de Kit dans la pénombre. Miranda Caliban ? Elle est sur cette île ?

– Oui, répondit Finn. Vous la connaissez ?

– Je connais son mari, répondit Kit. Lui et moi nous sommes entraidés dans une période d'âpres conflits, et, depuis, nous sommes restés en excellents termes.

– Votre amie doit avoir l'esprit un peu confus après ses épreuves, souffla Erewhon aux enfants, tout en se hissant sur la pointe des pieds pour tendre à Kit une bolée de soupe. Le mari de Mrs Caliban a péri dans la tempête qui l'a amenée ici voilà déjà sept ou huit ans.

– Impossible, dit Kit, se penchant par-dessus le bord du radeau pour saisir le bol. J'ai pris un café turc avec lui tout récemment.

– Hum ! toussota Finn. Mrs Caliban n'est pourtant pas du genre à faire de la dissimulation. C'est même pour ça qu'elle est restée sur l'île.

Parce qu'on y est à l'écart des malhonnêtetés du monde.

– Enigmorama, dit Prunille, calant son bol dans le sable afin de partager sa soupe avec l'Incroyable vipère.

– Ma petite sœur est d'avis que l'île recèle pas mal de secrets, traduisit Klaus, non sans une bouffée de nostalgie pour son calepin et tous les secrets qu'il y avait consignés.

– Justement, murmura Erewhon, c'est un peu d'un secret que nous sommes venues vous parler. Éteins donc cette torche, Finn, à présent, qu'elle n'aille pas nous faire repérer.

Le temps pour les enfants d'échanger un regard perplexe et l'obscurité les avait happés. Durant une longue minute, plus personne ne dit mot.

Voilà bien longtemps, du temps où les arrière-arrière-grands-parents de la personne la plus âgée que vous connaissiez n'étaient même pas encore au berceau, du temps où la grande ville où étaient nés les enfants Baudelaire se résumait à quatre ou cinq cabanes de terre et l'hôtel Dénouement à une ébauche d'idée pour doux rêveur, du temps où l'île lointaine avait un nom et n'était d'ailleurs pas considérée comme lointaine, il existait quelque part un peuple de nomades appelés Cimmériens. Ce que l'on sait d'eux se réduit à peu de choses, mais la légende laisse à penser qu'ils se déplaçaient surtout la nuit, que ce fût pour éviter les coups de soleil ou pour mieux exercer leur profession d'envahisseurs. Quoi qu'il en soit, les ténèbres, cimériennes ou non, ont conservé depuis ce temps une fâcheuse réputation, qui va jusqu'à entacher toute activité nocturne. Par exemple, quiconque creuse un trou au fond de son jardin au milieu de l'après-midi passe pour un jardinier ; mais qui creuse un trou à la nuit noire sera aussitôt soupçonné de chercher à enfouir quelque sinistre secret. De même, quiconque met le nez à sa fenêtre en plein jour est censé contempler la vue ; mais qui se livre à la même activité en pleine nuit se verra accuser d'espionnage. Or, le creuseur de trous nocturne peut très bien s'apprêter bêtement à planter un arbre pour faire une bonne surprise à sa nièce au matin, et le contempleur de vue en plein jour être un corbeau qui s'apprête à exercer le pire des chantages sur son voisin. Las ! à cause des Cimmériens et de la sombre réputation qu'ils ont value aux ténèbres, sitôt la nuit tombée la plus innocente des activités devient suspecte – et c'est ainsi que la question posée par Finn aux enfants Baudelaire ce soir-là, à la nuit close, leur parut immédiatement chargée de noires implications, alors qu'elle aurait fort bien pu être posée en toute innocence par un honnête professeur dans une honnête salle de classe.

– Savez-vous ce que signifie « mutinerie » ? chuchota très bas la jeune îlienne.

Bien qu'à peu près certaines l'une et l'autre de connaître le sens de ce mot, Violette et Prunille laissèrent à leur frère le soin de répondre.

– C'est l'action de se mutiner, répondit Klaus. C'est quand des gens se dressent contre leur chef, contre une autorité.

– Oui, dit Finn. C'est bien ce que m'a appris le professeur Fletcher.

– Nous sommes venues vous informer qu'une mutinerie aura lieu demain matin au petit déjeuner, enchaîna Erewhon. Nous sommes de plus en plus nombreux à ne plus supporter la façon dont les choses se passent sur cette île, et la racine du problème, c'est Ishmael.

– Rhizo ? s'étonna Prunille.

– La racine du problème, expliqua Klaus, c'est comme la source des ennuis. Leur origine, si tu préfères.

– Exactement, confirma Erewhon. Et le jour de la Décision va nous fournir une excellente occasion d'éliminer cette racine.

– Éliminer ? répéta Violette.

Dans les ténèbres, le mot rendait un son lugubre.

– Juste après le petit déjeuner, reprit la vieille femme, nous allons forcer Ishmael à embarquer dans le canoë et, sitôt que la mer sera assez haute, nous le pousserons vers le large.

– Tout seul ? dit Klaus. Un homme seul en plein océan a peu de chances de survivre.

– Oh ! il ne sera pas seul, assura Finn. Il a des partisans. S'il le faut, nous les forcerons à partir aussi.

– Beaucoup ? s'informa Prunille.

– Il n'est pas facile de savoir au juste qui est pour Ishmael et qui est contre, répondit Erewhon – et les enfants entendirent la vieille femme avaler une gorgée de cordial. Vous avez vu comment il s'y prend. Il dit toujours qu'il ne veut forcer personne, mais pour finir tout le monde tombe d'accord avec lui. Sauf que c'est terminé. Demain matin, nous verrons bien qui le soutient et qui le lâche.

– Oui, renchérit Finn. Et, comme le dit Erewhon, nous nous battrons s'il le faut. Mais chacun devra choisir son camp.

Du haut du radeau de livres, un immense soupir se fit entendre.

– Un schisme, murmura Kit là-haut.

– À vos souhaits, dit Erewhon. Bref, voilà pourquoi nous sommes venus à vous, enfants Baudelaire. Nous avons besoin de toutes les bonnes volontés.

– Et vu la façon dont Ishmael vous a rejetés, ajouta Finn, nous nous sommes dit que vous seriez sans doute de notre côté. Vous convenez bien que c'est lui la source de tout ce qui ne va pas sur cette île ?

Les enfants ne répondirent pas immédiatement. Ils réfléchissaient en silence, songeant à Ishmael, à ce qu'ils savaient de lui. Ils songeaient à l'affabilité de son accueil, ils songeaient à la dureté avec laquelle il les avait bannis. Ils songeaient à son empressement à faire d'eux des colons, ils songeaient à son empressement à fourrer le comte Olaf dans une cage. Ils songeaient à la malhonnêteté qu'il y avait à se faire passer pour estropié comme à manger des pommes en suisse – expression signifiant ici comme ailleurs : « s'en repaître en solitaire, sans en proposer à personne ». Mais plus ils songeaient à ce qu'ils savaient du personnage, plus ils songeaient aussi à ce qu'ils ignoraient de lui. Et les quelques bribes concernant le passé de l'île glanées auprès de Kit et d'Olaf leur faisaient mesurer qu'ils ne connaissaient pas toute l'histoire. Et même s'il leur semblait qu'Ishmael, en effet, était la source d'un certain nombre de désagréments sur l'île, ils manquaient un peu de certitudes.

– Je ne sais pas, avoua Violette enfin.

– Tu ne sais pas ? se récria Erewhon, abasourdie. Quoi ? Nous vous apportons à souper, alors qu'Ishmael vous a abandonnés sur ces grèves sans rien à manger, et tu ne sais pas de quel camp tu es ?

– Nous vous avons fait confiance, nous, quand vous nous avez dit qu'Olaf était un vilain oiseau, argua Finn. Et vous refusez de nous faire confiance ?

– Ce qu'il y a, hasarda Klaus, c'est que forcer Ishmael à quitter l'île paraît tout de même un peu radical.

– Et fourrer un homme en cage, ce n'est pas un peu radical, aussi ? dit Erewhon. Je ne vous ai pas entendus protester, pourtant !

– Quid pro quo ? demanda Prunille.

– Si nous vous aidons, traduisit Violette, aiderez-vous Kit ?

– Notre amie est blessée, ajouta Klaus. Blessée et enceinte.

– Et en détresse, compléta Kit faiblement, du haut de son épais radeau.

– Donnez-nous un coup de main pour renverser Ishmael, déclara Finn, et nous la conduirons en lieu sûr.

– Sinon ? insista Prunille.

– Nous ne voulons pas vous forcer, enfants Baudelaire, dit Erewhon, mais le jour de la Décision, c'est demain. La marée va monter, monter, inonder toutes ces grèves. Vous devez faire un choix.

Une fois de plus, les enfants Baudelaire ne répondirent pas tout de suite. Le silence retomba, rythmé par les lents ronflements d'Olaf. Ni Violette, ni Klaus, ni Prunille ne tenaient à prendre part à un schisme, ils en savaient trop long sur les misères provoquées par celui de V.D.C., mais ils ne voyaient pas non plus comment s'y dérober. La vieille Erewhon parlait de choix, mais choisir entre l'exil sur des grèves menacées par les eaux, où leur amie blessée était en danger de mort, et la participation active à une mutinerie non désirée ne semblait pas un choix très ouvert. Et les enfants se demandaient soudain combien d'êtres humains, avant eux, s'étaient trouvés face à ce genre de non-choix, lors des innombrables schismes ayant déchiré le monde depuis qu'il était monde.

– Bon, résolut Violette au bout d'un moment. D'accord pour un coup de main. Qu'attendez-vous de nous ?

– Que vous alliez en catimini sur la face cachée du morne, répondit Finn. Tu nous as dit que tu t'y connaissais en mécanique, Violette ; et toi, Klaus, tu es doué pour les recherches et les écritures. Tous les objets interdits ramassés au fil des ans sont là-bas. Certains pourraient nous rendre de grands services.

– Et la petite devrait pouvoir cuisiner quelque chose, dit Erewhon.

– Aller derrière le morne, d'accord, dit Klaus, mais pour quoi faire au juste ? Des choses mises au rebut, là-bas, il doit y en avoir des tombereaux.

– Pour commencer, dit Erewhon d'un ton sombre, il nous faudrait des armes.

– Oh ! nous comptons agir de manière pacifique, bien sûr, se hâta de préciser Finn. S'il nous faut des armes, c'est seulement pour en avoir. Mais si c'est nous qui allons les chercher, Ishmael risque de nous voir. Alors que vous trois, vous devez pouvoir sans problème contourner l'île par les grèves, dénicher ou bricoler quelques armes et nous les apporter au petit matin, que nous lancions la mutinerie.

– Il n'en est pas question ! protesta Kit du haut de son perchoir, de toutes les forces qui lui restaient. Enfants Baudelaire, je ne veux pas vous voir mettre vos talents au service d'une cause aussi infâme ! Je suis sûre que l'île peut régler ses problèmes sans recourir à la violence.

– Parce que vous les avez réglés sans recourir à la violence, vous, vos problèmes ? s'informa Erewhon, acerbe. Est-ce ainsi que vous avez surmonté cette période d'âpres conflits que vous avez mentionnée, et fini par échouer ici, perchée sur une palanquée de livres ?

– Mon histoire est sans importance, répondit Kit. C'est pour les enfants Baudelaire que je me tourmente.

– Et nous, nous nous tourmentons pour vous, Kit, dit Violette. Il va nous falloir du renfort, à nous aussi, si nous voulons vous secourir, puis regagner le monde pour assurer que justice soit faite.

– Il vous faut un lieu sûr, ajouta Klaus, où vous remettre de vos blessures.

– Et bébé, conclut Prunille.

– Tout ça n'est pas une raison pour se lancer dans la déloyauté, plaida Kit.

Mais le ton était incertain, et les enfants entendirent la jeune femme changer de position lourdement.

– Aidez-nous, s'il vous plaît, dit Finn, et nous pourrons secourir votre amie.

– Il doit bien exister une arme qui nous permette de menacer Ishmael et ses partisans, dit Erewhon. Simplement les menacer.

Les enfants ne répondirent pas. Si la vieille femme, l'instant d'avant, avait eu des accents rappelant fort celui qu'elle souhaitait renverser, à présent c'était quelqu'un d'autre qu'elle leur rappelait fort, et tous trois frémirent à la pensée de cette arme qu'Olaf détenait dans sa cage.

Violette posa à terre son bol vide et jucha sa petite sœur sur ses épaules, Klaus prit la torche électrique des mains de la vieille femme.

– Nous revenons dès que possible, Kit, promit l'aînée des Baudelaire. Souhaitez-nous bonne chance.

Du haut de son radeau, Kit laissa échapper un long soupir.

– Bonne chance, enfants Baudelaire, murmura-t-elle enfin. Mais oh ! je donnerais cher pour que les choses se présentent autrement.

– Nous aussi, murmura Klaus.

Et, braquant le faisceau de leur torche sur le sol, les trois enfants se mirent en marche vers l'île dont ils étaient bannis. Sur la grève détrempée, leurs pas faisaient de petits bruits de ventouse, accompagnés du glissement doux de l'Incroyable vipère qui les escortait dans leur mission. Faute de lune et d'étoiles, masquées par la traîne de la dernière tempête ou par l'avant-garde de la suivante, le vaste monde semblait aboli, hormis la trouée de lumière clandestine. Et à chacun de leurs pas mouillés les enfants avaient l'impression de s'alourdir, comme si leurs pensées étaient des pierres qu'ils emportaient à l'autre bout de l'île, vers le morne où les attendaient les objets refusés. Ils pensaient aux îliens, au schisme qui bientôt allait diviser la colonie. Ils pensaient à Ishmael et se demandaient si ses mensonges méritaient vraiment l'exil. Ils pensaient aux spores tueuses, ferment de mort à l'intérieur du casque de sca-phandre, se demandant si cette arme-là n'allait pas faire son entrée en scène sans leur laisser le temps d'en fournir une autre, moins redoutable. Ils cheminaient dans le noir, comme tant d'autres avant eux, des Cimmériens aux triplés Beauxdraps – lesquels, à l'instant même, se débattaient dans une situation non moins sombre, quoique un peu plus humide encore –, et plus ils approchaient de cette île qui les avait rejetés, plus leurs pensées se faisaient pesantes. Oui, les trois enfants Baudelaire auraient donné cher, eux aussi, pour que les choses se présentent autrement.

Chapitre IX

Il existe différentes façons d'être « dans le noir ».
La plus banale est, bien sûr, liée à des phénomènes physiques, telles la tombée de
la nuit, une éclipse de soleil ou une
éclipse d'électricité – cette dernière
couramment nommée panne.

Mais on peut aussi se trouver « dans le noir » lorsque les choses sont si obscures qu'on n'y comprend rien à rien, faute d'éléments clairs sur lesquels se repérer. On se dit alors, généralement, « dans le noir le plus total » – lequel réussit ce tour de force d'être encore plus total que total, ce qui donne un noir plus noir que noir.

Vous retrouver dans le noir le plus total peut vous arriver en plein jour, voire sous un éclairage aveuglant : tel sera le cas, par exemple, si, prenant le soleil sur votre balcon, vous avisez quatre ballerines occupées à creuser un trou dans la pelouse du square voisin pour quelque obscure, obscure raison. Il s'ensuit, à l'évidence, qu'on peut être à la fois « dans le noir » et « dans le noir le plus total ». Ce sera le cas, par exemple, si une éclipse de Soleil survient juste au moment où les ballerines, pour leurs obscures raisons, se mettent en devoir de creuser ce trou. Certes, cet exemple peut paraître un peu nébuleux et j'ignore si je suis clair – mais j'espère que mes explications ne vous laissent pas dans le noir le plus total.

Les orphelins Baudelaire, pour leur part, s'étaient bien des fois trouvés dans le noir et ce, de toutes les façons possibles, du noir simplement noir au noir le plus total, longtemps avant de cheminer dans les ténèbres, cette nuit-là, vers le morne à l'autre bout de l'île, où l'arboretum-à-un-arbre gardait ses secrets sans nombre. Le noir, ils y avaient eu affaire dans la sinistre tanière du comte Olaf, puis dans la salle de cinéma où l'oncle Monty les avait emmenés, un soir, voir un beau film intitulé *L'Abominable Zombie des neiges*. Noir aussi avait été le ciel, et noires les eaux du lac Chaudelarmes, le jour où l'ouragan Herman avait fait rage au-dessus de la maison perchée de leur tante Agrippine, et noire la forêt de Renfermy le jour où le train les avait acheminés vers la scierie Fleurbon-Laubaine. Noires avaient été les nuits d'entraînement sportif intensif au collège Prufrock, noirs les escaliers et la cage d'ascenseur du 667, boulevard Noir. Noire également la case prison par laquelle ils étaient passés à Villeneuve-des-Corbeaux, noir le coffre de l'auto du comte Olaf qui les avait menés de la clinique Heimlich à l'arrière-pays, où les attendaient les tentes noires de Caligari Folies. Noire avait été la fosse creusée de leurs mains au cœur de noirs décombres, dans les monts Mainmorte, noire l'écoutille par laquelle ils s'étaient glissés à bord du sous-marin *Queequeg*, et noire la réception de l'hôtel Dénouement, où ils avaient cru voir s'achever enfin le plus noir de leurs désastreuses aventures. Noirs étaient les desseins du comte Olaf, noirs tous ces passages souterrains que les trois enfants avaient découverts, tels celui qui reliait le boulevard Noir à la grande demeure Baudelaire, ou celui qui débouchait sur le Q.G. de la Vallée des Douze Courants d'air, ou encore celui qui conduisait à la grotte Gorgone, dans les profondeurs marines – sans parler de tous les souterrains qu'ils n'avaient pas découverts, et où d'autres avaient mené, dans le noir, leurs désastreuses aventures.

Mais plus que tout, c'est sur leur propre histoire que les orphelins Baudelaire se trouvaient dans le noir le plus total. Ils ne comprenaient toujours pas comment ni pourquoi le comte Olaf était entré dans leurs vies, comment ni pourquoi il s'y était incrusté, ourdissant complot sur complot, manigance sur manigance, sans personne pour y mettre le holà. Ils ne comprenaient toujours pas ce qu'était au juste V.D.C., alors même qu'à présent ils étaient engagés dans cette organisation, ni comment cette communauté, avec tous ses codes secrets, ses missions, ses volontaires, avait pu échouer à mettre en déroute la scélératesse et les scélérats, qui toujours finissaient par prendre le dessus, anéantissant tour à tour chaque lieu sûr. Et ils ne comprenaient toujours pas comment ni pourquoi un incendie les avait privés à la fois de leurs parents et d'un toit, comment ni pourquoi pareille injustice – triste commencement de leur triste histoire – n'avait été suivie que d'autres injustices, et d'autres encore et encore. Ils ne comprenaient toujours pas comment ni pourquoi la bassesse et la vilenie pouvaient s'épanouir de la sorte, et jusqu'en un lieu aussi reculé, une île au cœur de l'océan, comment ni pourquoi le bonheur tout simple – celui qu'ils avaient connu jusqu'à ce sinistre jour où Mr Poe était venu tout gâcher – restait inéluctablement hors de portée. Oui, les jeunes Baudelaire étaient dans le noir le plus total en ce qui concernait leur vie, et c'est pourquoi ce fut un choc pour eux de se dire soudain que, peut-être, ils allaient enfin y voir clair. Les trois enfants clignèrent des yeux dans les premières lueurs de l'aube et, contemplant l'immense étendue de l'arboretum-à-un-arbre, ils se demandèrent s'il n'y avait pas là les réponses à bien des mystères qui avaient noyé d'ombre leurs jeunes vies.

« Bibliothèque » est l'un de ces mots dont le sens peut déborder de sa définition première – et c'est pourquoi, par parenthèse, même dans une bibliothèque on n'est pas toujours à l'abri des obscurs désordres du monde. Le plus souvent, le mot « bibliothèque » désigne bien sûr une collection d'ouvrages, livres et documents, et en ce sens les enfants Baudelaire avaient eu affaire à quantité de bibliothèques au cours de leurs tribulations, depuis les rayonnages de la juge Abbott, croulant sous les traités juridiques, jusqu'à l'hôtel Dénouement, qui était en soi une vaste bibliothèque – doublée d'une autre, sous son reflet. Mais on dit aussi parfois d'une personne ou d'un lieu : « C'est une vraie bibliothèque », signifiant par là que cette personne ou ce lieu recèle une masse impressionnante de savoir, qui en fait une précieuse ressource. Ainsi, à sa façon, Klaus était une bibliothèque ambulante, de même que Kit Snicket, irremplaçable source de renseignements sur V.D.C. et ses nobles missions.

C'est en ce sens élargi qu'il faut entendre ce terme ici lorsque j'écris que, ce matin-là, au point du jour, les enfants Baudelaire se retrouvèrent dans la plus vaste bibliothèque qu'il leur eût été donné de voir. Car le fameux dépotoir de l'arboretum-à-un-arbre représentait à lui seul une somme incommensurable de savoir, une immense source de connaissances et ce, sans même un bout de papier en vue. Les milliers et milliers d'objets venus s'échouer, au fil des ans, sur les grèves de l'île sans nom avaient de quoi répondre à toutes les questions que les trois enfants s'étaient posées jusqu'alors, ainsi qu'à des milliers de questions qu'ils n'avaient jamais songé à se poser. À perte de vue s'entassaient là des monceaux d'objets, des piles de trucs, des amas de machins, des masses de choses, tout un fatras, tout un fouillis, tout un fourbi, tout un bric-à-brac de babioles et de bricoles et de bribes de matériaux, sans parler de morceaux plus gros et d'entiers plus gros encore – bref, une accumulation, un amoncellement, une concentration, un empilement, un ramassis à donner le tournis, des strates et des strates superposées d'un immense registre de tout, apparemment tout ce qu'avaient pu porter à ce jour la terre et ses océans.

Il y avait là tout ce que l'alphabet peut contenir, des ailerons de voiture et des amulettes, des bandages herniaires et des baskets, des cithares et des conduits de cheminée, des dominos et des dentiers, des écus d'or et des écumoires, des fanfreluches et des face-à-main, des gratte-dos et des grille-pain, des hautbois et des haltères, des icônes et des imprimantes, des joints de cardan et des jambes de bois, des képis et du kapok, des lance-pierres et des limes à ongles, des moulins à poivre et des mirlitons, des nounours et des noyaux de pêche, des ouvre-boîtes et des œufs d'autruche, des pantoufles et des pieds de guéridon, des queues-d'aronde et des quarts-de-rond, des réveille-matin et des râpes à fromage, des sabots de frein et des services à thé, des trottinettes et des tapis persans, des urnes et des ukulélés, des violons et de la verroterie, des wassingues et des wagons-lits, des xéranthèmes et de xylorimbas, des yo-yo et des yaourtières, des zelliges et des zabras, mots signifiant ici, respectivement, « morceau de brique émaillée servant à la décoration mauresque » et « ancien bateau basque à deux mâts, qui n'aurait jamais dû s'aventurer si loin de ses côtes espagnoles natales ». Il y avait là tout ce qui peut contenir l'alphabet, de la boîte de cubes en abécédaire au gentil petit tableau noir avec vingt-six lettres aimantées. Il y avait des objets à l'unité, moto mauve, tractopelle rose à étoiles vertes, d'autres en nombre incalculable, baguettes chinoises ou cannettes de bière, et des objets fourmillant de nombres, calculettes, cadrans de contrôle, plaques d'immatriculation. Il y avait des objets pour tous les climats, de la raquette à neige au ventilateur de plafond, et pour toutes les occasions, du ballon de foot à la menora ; il y avait même des objets réservés à certains climats et à certaines occasions, tel un costume de Père Noël à scaphandre. Il y avait des haut-parleurs et des bas-reliefs, des pardessus et des dessous-de-plat, des tire-bottes et des tire-bouchons, des passe-montagne et des passe-partout, des hauts-de-forme et des bas de contention, des couffins et des cercueils – le tout tantôt irrémédiablement disloqué, cabossé, démantibulé, tantôt simplement décati, tantôt flambant neuf ou quasi.

Il y avait là des objets que les enfants Baudelaire reconnaissaient, tels ce tableau dans un cadre en triangle ou cette lampe au pied de cuivre en forme de poisson ; d'autres qu'ils n'avaient jamais vus, tels ce squelette d'éléphant ou cette espèce de masque vert, scintillant, qui pouvait bien avoir jadis fait partie d'un costume de libellule ; et d'autres enfin dont ils n'auraient su dire s'ils les avaient déjà vus ou non, tels ce cheval à bascule ou cette lanière de caoutchouc qui évoquait fort une courroie de ventilateur. Il y avait là des objets qui semblaient venir tout droit de leur propre histoire, tels ce grand clown en plastique gonflable ou ce fragment de poteau télégraphique, et des objets qui semblaient venir des histoires d'autrui, tels cet oiseau sculpté dans du bois noir ou cette pierre précieuse qui luisait comme une lune indienne. Et tous ces objets, toutes leurs histoires, s'éparpillaient dans le paysage de telle manière qu'une question s'imposait : cet amoncellement s'ordonnait-il selon des principes si mystérieux qu'ils ne pouvaient être décelés – ou ne s'ordonnait-il pas du tout ?

En un mot comme en cent, les enfants Baudelaire se retrouvaient là face à la plus immense bibliothèque imaginable, mais ils ignoraient totalement par où entamer les recherches. Un long moment, frappés de silence, ils contemplèrent cette marée d'objets et d'histoires muettes, puis ils levèrent les yeux vers l'élément du paysage qui dominait tout le reste et couvrait l'endroit de son ombre : le pommier titanesque, au tronc plus large qu'un manoir anglais, aux branches maîtresses plus longues que les rues d'une grande ville, le pommier vénérable qui abritait ce lieu des tempêtes et offrait ses pommes âcres à qui osait les cueillir.

– Baba, souffla Prunille très bas ; autrement dit : « J'en suis sans voix. »

– Moi aussi, avoua Klaus. D'accord, les îliens nous l'avaient dit, qu'un jour ou l'autre tout finit par venir s'échouer sur ces côtes. Mais jamais je n'aurais cru trouver ici pareil bataclan.

Violette ramassa quelque chose à ses pieds, un ruban rose orné de pâquerettes en plastique, et se mit en devoir d'attacher ses cheveux. Pour qui ne connaissait pas Violette ou ne l'avait pas vue depuis longtemps, c'était là un geste anodin. Mais quiconque la connaissait savait que, lorsqu'elle nouait ses cheveux pour se dégager le front, c'était le signe que les rouages et les bielles de son esprit inventif tournaient à plein régime.

– Songez à tout ce que je pourrais faire ici, mur-mura-t-elle. Bricoler des attelles pour les pieds de Kit. Construire un bateau pour quitter cette île. Mettre au point un système de filtration qui nous permette de boire de l'eau douce… (Son regard se perdit vers la cime de l'arbre.) Je pourrais inventer tout et n'importe quoi.

Klaus ramassa quelque chose à ses pieds, châle ou cape de soie écarlate, qu'il déploya devant lui.

– Il doit y avoir des secrets par milliers en un lieu pareil, dit-il. Même sans livres, je pourrais faire des recherches sur tout et n'importe quoi.

Prunille parcourut l'endroit du regard.

– Servissalaruss, dit-elle.

Ce qui signifiait en substance : « Il y a de quoi s'équiper, ici. Même avec les ingrédients les plus simples, je pourrais concocter des mets de haute gastronomie. »

– Je ne sais pas par où commencer, dit Violette, caressant du doigt le bois ouvragé, à la peinture blanche écaillée, de ce qui semblait être un vestige d'élégant kiosque de jardin.

– Par des armes, lui rappela Klaus d'un ton sombre. C'est ce qu'on est venus chercher ici, au cas où tu l'aurais oublié. Finn et Erewhon attendent notre aide pour la mutinerie contre Ishmael.

L'aînée des Baudelaire se cabra.

– Mais est-ce vraiment la chose à faire ? Est-ce vraiment l'endroit où provoquer un schisme ?

– Peut-être qu'un schisme est nécessaire, dit Klaus. Il y a ici des millions de trucs et de machins qui pourraient rendre service à la colonie, mais à cause d'Ishmael tout ça se trouve au rebut, laissé en plan, à se perdre.

– Personne n'a forcé quiconque à mettre quoi que ce soit au rebut, dit Violette.

– Pression pairs, rappela Prunille.

– Eh bien ! à nous de faire jouer un peu de pression des pairs à notre façon, déclara Violette. Nous avons mis en déconfiture des gens bien plus redoutables qu'Ishmael, avec des moyens bien plus limités.

– Mais voulons-nous vraiment la déconfiture d'Ishmael ? s'interrogeait Klaus. Il a fait de cette

île un lieu sûr, même s'il en est de plus excitants.
Et il a mis le comte Olaf hors jeu, même si c'est
de façon un peu rude. Il a des pieds d'argile, c'est
un fait, mais je ne suis pas certain qu'il soit la
racine du problème.

– Et quelle est la racine du problème ? s'enquit
Violette.

– Encre ! dit Prunille ; ce qui signifiait : « Ink ! ».

Ses aînés se tournèrent vers elle, perplexes, mais
ils comprirent que leur cadette ne répondait pas
le moins du monde à la question. Elle désignait
l'Incroyable vipère, qui s'éloignait d'eux à toute
allure en ondulant, jetant des regards à droite et
à gauche et dardant sa langue fourchue, en quête
de la moindre odeur.

– Elle sait où elle va, on dirait bien, dit Violette.

– Elle est peut-être déjà venue là, dit Klaus.

– Talons ! dit Prunille ; en d'autres termes :
« Suivons-la. »

Et, sans attendre l'approbation de ses aînés, la
petite se lança à la poursuite du reptile, aussitôt
imitée de Violette, puis de Klaus.

L'itinéraire de la vipère était encore plus sinueux que la créature elle-même, contraignant les enfants à une course d'obstacles avec contournement de toutes sortes d'objets, tels ce grand carton gondolé, empli jusqu'à la gueule de petits napperons en dentelle de papier, ou ce panneau de décor de scène représentant un coucher de soleil comme on les aime à l'opéra. À travers le bric-à-brac sinuait une sorte de sentier, déjà emprunté par d'autres car on y devinait des traces de pas.

La mégavipère rampait si vite que les enfants furent bientôt semés, mais il leur était facile de suivre les empreintes de pied, chacune s'auréolant d'un peu de poudre blanche qui ressemblait fort à de l'argile sèche. Au bout d'un moment, suivant ces pas, les enfants atteignirent la fin du sentier, à la base même du pommier géant, juste à temps pour voir un bout de queue noire disparaître dans un trou, entre deux racines de l'arbre.

Si vous vous êtes déjà trouvé au pied d'un arbre vénérable, vous savez que d'énormes racines saillent à fleur de terre au ras du tronc, et que très souvent bâillent des crevasses à la fourche de ces racines. C'est dans l'une de ces cavités que venait de se couler l'Incroyable vipère et, après une pause d'une fraction de seconde, c'est au creux de cette cavité que se coulèrent les enfants Baudelaire, se demandant quels secrets pouvaient bien se nicher sous un tel arbre, en un tel lieu.

À la queue leu leu ils se faufilèrent, Violette en premier, puis Klaus, puis Prunille, dans les entrailles de la terre. Il faisait fort sombre là-dessous et, dans un premier temps, leurs yeux écarquillés tentèrent de s'accommoder à l'obscurité. Puis Klaus s'avisa soudain qu'il disposait d'une torche électrique, il l'alluma – et le noir le plus total s'éclaircit quelque peu, quoique fort peu à vrai dire.

L'endroit était infiniment plus vaste qu'ils ne l'avaient imaginé, et infiniment mieux meublé. Contre un mur s'adossait un long établi de pierre sur lequel reposaient divers outils, simples et en excellent état, y compris des lames de rasoir au tranchant apparemment sans défaut, un pot de verre qui semblait contenir de la colle et un assortiment de pinceaux fins à manche de bois. Juste à côté se dressait une immense bibliothèque aux rayonnages bourrés de livres de toutes épaisseurs, tous formats, sans parler de documents et dossiers empilés, roulés, agrafés, méticuleusement rangés. Les étagères s'étiraient sans fin dans le halo de la torche puis se perdaient dans l'ombre, de sorte qu'il était impossible d'en évaluer la longueur ou de se faire une idée du nombre d'ouvrages et de documents stockés là.

Lui faisait face une cuisine remarquablement équipée, avec un gros fourneau ventru, plusieurs éviers de faïence, un grand réfrigérateur ronronnant, ainsi qu'une table de bois couverte d'ustensiles variés, du robot-mixeur au grille-pain en passant par le service à fondue. Au-dessus de la table pendaient à un rail une batterie de casseroles et divers accessoires, ainsi que des bouquets d'aromates, un assortiment de poissons séchés et même deux ou trois salaisons, dont un gros salami et un beau morceau de prosciutto – variété de jambon italien dont les enfants Baudelaire s'étaient délectés, jadis, lors d'un pique-nique à la sicilienne avec leurs parents. Au mur était accrochée une imposante étagère à épices, garnie de flacons de toutes sortes et de bocaux de condiments, à côté d'un grand dressoir à portes vitrées, au travers desquelles on distinguait des bols, des chopes et des assiettes empilées.

Enfin, au centre de la pièce ou plutôt de ce qu'on en voyait, présidaient deux fauteuils de lecture, spacieux et bien rembourrés, le siège du premier occupé par un livre au format géant – plus grand que le plus grand des atlas, plus épais que le plus épais des dictionnaires –, le second attendant le lecteur. Non loin de ces fauteuils, un étrange appareil complétait l'équipement, composé de ce qui ressemblait fort à une énorme paire de jumelles, surmontée d'un gros tube de laiton qui fusait jusqu'au plafond pour disparaître entre les racines.

Laissant la mégavipère siffler fièrement, tête haute, comme un chien savant agite la queue après un tour réussi, les enfants explorèrent l'endroit des yeux, chacun se concentrant sur son domaine d'expertise, expression signifiant ici : « la zone de la pièce qu'il aurait volontiers faite sienne ». Puis Violette se dirigea vers l'engin au tube de laiton et jeta un coup d'œil dans les jumelles.

– Hé ! s'écria-t-elle, je vois la mer ! C'est un immense périscope, bien plus puissant que celui du *Queequeg*. Parions que ce tube monte tout le long du tronc et ressort au ras de la cime.

– Mais pourquoi chercher à voir la mer depuis le fond de ce trou ? s'étonna Klaus.

– Avec un point de vue aussi haut perché, raisonna Violette, on doit repérer de très loin les nuages et les risées. Et voilà comment Ishmael prédit le temps : non par magie, mais grâce à un excellent équipement.

– Et tous ces outils, dit Klaus, sont destinés à restaurer des livres. Car des livres viennent s'échouer ici, bien sûr ; comme tout le reste, à la fin des fins. Mais les pages et les reliures doivent arriver en triste état, mises à mal par l'eau de mer et les tempêtes. Ishmael les rafistole, puis les range sur ces étagères. (Il saisit sur l'établi un gros carnet bleu nuit et le brandit.) Voyez ? C'est mon calepin qu'il a apporté là. Il a dû s'assurer qu'aucune des pages n'avait souffert de l'humidité.

Prunille à son tour cueillit sur l'établi un objet familier – son précieux fouet à œufs – et le flaira du bout du nez.

– Beignets, dit-elle. Cannelle.

– Hmm-hmm, fit Violette. Ishmael vient ici, il observe le ciel, il lit des livres, il se mitonne des mets épicés… Pourquoi diable fait-il semblant d'être un facilitateur éclopé, qui prédit le temps par la magie, assure que pas un livre n'est jamais venu s'échouer sur ces côtes et ne jure que par les mets inodores et sans saveur ?

Klaus se dirigea vers les fauteuils et souleva l'énorme volume.

– Peut-être que la réponse est là-dedans.

Et il braqua sa torche sur la couverture afin d'en déchiffrer le titre et de le montrer à ses sœurs.

– Qu'est-ce que ça peut bien être, ce bouquin ? dit Violette après lecture. Avec un titre pareil, ce pourrait être n'importe quoi.

Une bande de velours noir tenait lieu de marque-page, et Klaus ouvrit le volume à cet endroit. Le marque-page se révéla être le ruban de Violette – qui s'empressa de le récupérer, le galon rose à fleurs en plastique n'étant pas du tout à son goût.

– On dirait une histoire de l'île, diagnostiqua Klaus, parcourant la page. Ou plus exactement une chronique, écrite à la façon d'un journal de bord. Écoutez ça, c'est la toute dernière entrée : *Encore une figure du sombre passé échouée sur nos rives : Kit Snicket (voir page 667). Ai convaincu les autres de l'abandonner, de même que les jeunes Baudelaire, qui n'ont déjà que trop secoué la barque, je le crains. Également réussi à enfermer comte Olaf dans une cage. Note pour moi-même : Pourquoi personne n'accepte-t-il de m'appeler Ish ?*

– Cet Ishmael ! s'indigna Violette. Il avait dit n'avoir jamais entendu parler d'une Kit Snicket. Et ici, le voilà qui écrit qu'elle est une figure du sombre passé.

– Six six sept, suggéra Prunille – et Klaus acquiesça.

Confiant la torche à son aînée, il se mit en devoir de tourner à rebours les pages de l'énorme volume, remontant dans le temps jusqu'à retrouver la page mentionnée par Ishmael.

– *Inky a appris à attraper les moutons au lasso, lut-il, et la tempête de la nuit passée a apporté une carte postale signée Kit Snicket, adressée à Olivia Caliban. Kit est, bien sûr, la sœur de…*

La voix du garçon s'étrangla et ses sœurs le regardèrent, intriguées.

– Qu'est-ce qui ne va pas ? s'inquiéta Violette. Il n'y a là rien de particulièrement renversant.

– Ce n'est pas ce qui est écrit, répondit Klaus d'un filet de voix, si ténu que c'est à peine si ses sœurs l'entendirent. C'est l'écriture.

– Famiglia ? demanda Prunille.

Les deux sœurs se rapprochèrent du garçon. En silence, blottis autour de cette torche comme autour d'un feu de camp par une nuit glacée, les trois enfants se penchèrent sur l'ouvrage au titre insolite. Même l'Incroyable vipère rampa jusqu'à eux pour se percher sur les épaules de Prunille, comme si elle aussi était curieuse de savoir qui avait écrit ces lignes, tant d'années auparavant.

– Oui, enfants Baudelaire, déclara une voix à l'autre bout de la pièce. C'est l'écriture de votre mère.

Chapitre X

À pas lents, Ishmael émergea de l'obscurité en direction des orphelins, se guidant d'une main le long d'un rayonnage. La lueur blafarde de la torche

ne permettait pas de voir s'il souriait ou serrait les dents sous sa barbe en bataille, et Violette se remémora soudain un souvenir enfoui profond dans sa mémoire. Des années plus tôt, avant la naissance de Prunille, Klaus et elle s'étaient querellés un matin sur l'épineuse question de savoir à qui revenait la corvée de sortir la poubelle ce jour-là. L'enjeu était futile, mais l'occasion était de celles où les protagonistes prennent trop de plaisir à la bisbille pour y mettre fin et, tout le jour, le frère et la sœur avaient circulé à travers la maison, chacun vaquant à ses occupations, sans s'adresser la parole. Pour finir, après un long dîner passé à se regarder en chiens de faïence tandis que leurs parents les poussaient à se réconcilier – mot signifiant ici : « reconnaître que la question de savoir qui devait sortir la poubelle importait peu, l'important étant de le faire avant que toute la maisonnée ne périsse asphyxiée » –, Violette et Klaus avaient été privés de dessert et envoyés au lit avec interdiction de lire ne fût-ce que cinq minutes. Or, juste comme elle allait s'endormir, Violette avait eu une idée lumineuse, celle d'une invention géniale grâce à laquelle plus personne n'aurait à sortir la poubelle, si bien qu'elle avait rallumé et s'était lancée illico dans un croquis détaillé. Ce travail l'avait tant absorbée qu'elle n'avait pas entendu des pas dans le couloir et, quand Mrs Baudelaire avait ouvert la porte, il était bien trop tard pour éteindre et faire semblant de dormir. Violette avait regardé sa mère sans un mot, sa mère lui avait rendu son regard, et à la lueur de la lampe de chevet l'aînée des Baudelaire s'était demandé si sa mère souriait ou si elle fulminait – si elle était furieuse de voir Violette enfreindre le couvre-feu ou si ça lui était égal, après tout. Mais pour finir Violette avait vu que sa mère lui apportait une infusion fumante. « Tiens, ma grande, avait-elle dit d'une voix douce. Une tisane d'anis étoilé t'a toujours éclairci les idées. » Violette avait pris des mains maternelles la tasse odorante et, brusquement, elle s'était souvenue : c'était bien elle qui aurait dû sortir la poubelle ce jour-là.

Mais Ishmael n'apportait pas la moindre infusion fumante et lorsque, actionnant un interrupteur, il inonda de lumière le repaire secret sous les racines, tous les trois constatèrent qu'il ne souriait ni ne fulminait, mais laissait voir une étrange combinaison des deux, comme s'il se méfiait d'eux autant qu'eux se méfiaient de lui.

– Je le savais, que vous finiriez par venir ici, dit-il après un silence. Je n'ai jamais vu un Baudelaire qui ne secoue pas la barque.

Les enfants sentirent toutes leurs interrogations se télescoper dans leurs têtes, tels des matelots enfiévrés quittant le navire en train de sombrer.

– Quel est ce lieu ? demanda Violette. Comment avez-vous connu nos parents ?

– Pourquoi avoir menti sur tant de choses ? demanda Klaus. Pourquoi tant de cachotteries ?

– Qui vous ? demanda Prunille.

Ishmael fit un dernier pas en avant et toisa la benjamine, laquelle soutint son regard avec aplomb puis posa les yeux avec insistance sur les grands pieds crottés d'argile.

– Savez-vous que j'ai été professeur, jadis ? dit-il enfin. C'était il y a très longtemps, dans la grande ville où vous êtes nés. Il y avait toujours quelques élèves, dans mes cours de chimie, dont les yeux luisaient comme les vôtres, enfants Baudelaire. C'étaient toujours eux qui rendaient les devoirs les plus intéressants. (Il soupira et s'assit dans l'un des deux fauteuils au centre de la pièce.) C'étaient toujours eux, aussi, qui me causaient le plus de soucis. Je revois un petit visage, en particulier, avec des cheveux sombres en broussaille et un sourcil unique…

– Le comte Olaf, dit Violette.

Ishmael fronça les sourcils et, les yeux mi-clos, fixa l'aînée des Baudelaire.

– Non, dit-il. C'était une fille. Avec un unique sourcil et, à la suite d'un accident dans le laboratoire de son grand-père, une seule oreille aussi. Elle était orpheline et vivait avec ses frères et sœurs dans une maison dont la propriétaire était une horrible bonne femme, une pocharde connue pour avoir tué un homme, dans sa jeunesse, avec ses poings nus et un melon cantaloup bien mûr. Le melon provenait d'une exploitation agricole qui n'existe plus, la ferme Fleurbon-Laubaine, qui appartenait à…

– Monsieur le Directeur, dit Klaus.

De nouveau, Ishmael fronça les sourcils.

– Non, dit-il. La ferme appartenait à deux frères, dont l'un a été plus tard assassiné dans une petite bourgade, et trois enfants ont été accusés du crime.

– Jacques, dit Prunille.

– Non, la contredit Ishmael, fronçant les sourcils derechef. Son nom, en réalité, a fait l'objet de controverses, car apparemment il utilisait divers noms suivant les tenues qu'il portait. Quoi qu'il en soit, cette petite élève que j'avais dans ma classe a fini par avoir des soupçons concernant le thé amer que lui servait sa tutrice à son retour de l'école. Plutôt que de le boire, elle le déversait dans le pot d'une plante verte qui avait auparavant décoré un restaurant chic et bien connu, ayant un poisson pour thème.

– Le café Salmonella, dit Violette.

– Non, dit Ishmael, fronçant les sourcils une fois de plus. Le bistro Éperlan. Naturellement, ma jeune élève a fini par ne plus pouvoir verser son thé à la plante verte, surtout lorsque celle-ci a péri et que son propriétaire a été expédié au Pérou à bord d'un étrange paquebot.

– Le *Prospero*, dit Klaus.

Ishmael fronça les sourcils comme jamais.

– Oui, dit-il. Encore qu'à l'époque il ait été nommé le *Périclès*. Mais mon élève, bien sûr, n'en savait rien. Elle voulait seulement éviter de se faire empoisonner, et c'est alors que l'idée m'est venue qu'un antidote pouvait se trouver…

– Tangente, coupa Prunille.

Et ses aînés acquiescèrent discrètement. La petite entendait par là : « Ishmael est très doué pour la digression », mot signifiant ici : « art de répondre à côté, et à des questions tout autres que celles que les enfants Baudelaire avaient posées ».

– Ce que nous voulons savoir, traduisit Violette, c'est ce qui se passe sur cette île en ce moment. Pas ce qui s'est passé dans une salle de classe au diable vauvert voilà des années.

– Mais ce qui se passe maintenant et ce qui s'est passé voilà des années sont deux épisodes de la même histoire, dit Ishmael. Si je ne vous raconte pas comment j'en suis venu à aimer mon thé amer comme l'absinthe, alors vous ne saurez pas ce qui m'a amené à avoir une conversation capitale avec un serveur dans une station balnéaire au bord d'un lac. Et, si je ne vous dis rien de cette conversation, vous ne saurez pas comment je me suis retrouvé à bord de certain batyscaphe, ni comment un naufrage m'a conduit ici, ni comment j'ai fait la connaissance de vos parents, ni quoi que ce soit d'autre qui est relaté là-dedans.

Il prit le lourd volume des mains de Klaus et caressa d'un doigt le dos de la reliure, sur lequel était frappé en lettres d'or le long titre insolite et verbeux.

– Des quantités de personnes ont écrit dans ce livre au fil du temps, reprit-il, depuis que les premiers naufragés sont venus s'échouer sur l'île. Et, d'une manière ou d'une autre, tous leurs récits sont liés. Posez une question et elle mène à une autre, puis à une autre encore, et une autre, et une autre. C'est comme d'éplucher un oignon.

– Mais on ne peut pas lire toutes les histoires, dit Klaus, ni répondre à toutes les questions. Quand bien même on le voudrait, c'est impossible.

Ishmael sourit et tira sur sa barbe.

– C'est ce que vos parents m'ont dit un jour, mot pour mot. Quand je suis arrivé, ils n'étaient sur cette île que depuis peu de temps, mais ils en étaient devenus les facilitateurs et avaient suggéré quelques nouvelles coutumes. Votre père avait lancé l'idée d'installer un grand périscope dans l'arbre, afin de surveiller l'arrivée des tempêtes, et votre mère celle d'un système de filtration de l'eau de mer afin de disposer d'eau douce directement au robinet de la cuisine. Vos parents avaient entrepris d'établir une bibliothèque à partir de tous les documents échoués là, et ils ajoutaient des quantités de récits au grand journal de bord de l'île. On y servait des mets de haute gastronomie, et vos parents avaient convaincu d'autres naufragés d'agrandir cet espace en sous-sol. (Du geste, Ishmael désigna les interminables rayonnages qui disparaissaient dans l'ombre.) Ils voulaient creuser un passage souterrain afin de relier l'île à un centre de recherches marines et de conseil en rhétorique quelque part en mer, à une poignée de milles marins d'ici.

Les trois enfants s'entre-regardèrent, les yeux ronds. Ce centre de recherches, le capitaine Virlevent leur en avait parlé, et eux-mêmes avaient passé quelques heures sombres dans ce qui semblait en être le « sous-sol » marin, ou plutôt ses vestiges.

– Vous voulez dire, hésita Klaus, qu'il nous suffirait de marcher tout du long, le long cette bibliothèque, pour déboucher sur l'Aquacentre Amberlu ?

– Non, dit Ishmael. Le passage n'a jamais été achevé. Et encore heureux ! Le centre de recherches a été détruit par un incendie, qui aurait pu se propager par le tunnel et atteindre l'île. Bien pis : il s'est révélé qu'un champignon abominablement dangereux était conservé là-bas. Je préfère ne pas songer à ce qui se passerait si cette fausse golmotte médusoïde – c'est son nom – atteignait nos côtes.

Les enfants se consultèrent du regard et décidèrent de taire l'un de leurs secrets, même si Ishmael, pour finir, daignait leur livrer l'un des siens. Leur histoire à eux avait bel et bien un lien avec celle d'Ishmael, pour finir, par le biais du contenu de ce casque qu'Olaf cachait dans sa cage. Mais ils ne voyaient aucune raison de lui livrer ce détail.

– Certains trouvaient enthousiasmante l'idée de ce souterrain. Vos parents voulaient transférer tous les documents venus s'échouer ici vers le fameux Aquacentre Amberlu, d'où ils auraient pu être transmis à certain bibliothécaire qui disposait d'une bibliothèque secrète. Mais d'autres ne voulaient pas de ce souterrain ; ils tenaient à conserver l'île à l'écart des fourberies du monde. À mon arrivée, un certain nombre d'îliens s'apprêtaient à se mutiner, avec la ferme intention d'exiler vos parents sur les grèves. (Le facilitateur poussa un gros soupir et referma le volume sur ses genoux.)

D'une certaine façon, je suis arrivé au milieu de l'histoire, tout comme vous autres au milieu de la mienne. Certains îliens avaient trouvé des armes parmi les épaves, et la situation aurait pu très mal tourner si je n'avais convaincu la colonie de se contenter de bannir vos parents. Nous leur avons permis d'emporter quelques livres dans un bateau de pêche qu'avait bâti votre père, et au matin ils sont partis avec une poignée de leurs alliés, profitant de la grande marée. Ils laissaient ici tout ce qu'ils avaient créé, du périscope qui me permet de prédire le temps à ce grand livre de bord que je continue d'enrichir.

— Vous avez *chassé* nos parents ? dit Violette, ébranlée.

— Ils ne sont pas partis de gaieté de cœur, concéda Ishmael. Et après tant d'années de V.D.C., ils hésitaient à l'idée d'exposer leurs futurs enfants aux perfidies du vaste monde. Mais ce qu'ils refusaient de comprendre, c'est que si le souterrain qu'ils projetaient avait été achevé, vous auriez été exposés aux perfidies du monde tout pareil. Tôt

ou tard, l'histoire de chacun connaît un désastreux
événement ou deux – un schisme, un décès, un
incendie, une mutinerie, la perte d'un logis, celle
d'un service à thé. Il crève les yeux que l'unique
solution est de se tenir le plus possible à l'écart du
monde et de mener une vie simple et tranquille.

– Et c'est pourquoi vous tenez tant de choses à
l'écart des autres, laissa tomber Klaus.

– Affaire de point de vue, répondit Ishmael. J'ai
voulu faire de cette île le refuge le plus sûr qui
soit. Dans ce but, lorsque j'en suis devenu le facilitateur, j'ai suggéré à mon tour quelques nouvelles coutumes. J'ai établi la colonie à l'autre bout
de l'île et j'ai dressé les moutons à tirer un traîneau, de manière à rejeter le plus loin possible et
hors de vue d'abord toutes les armes, puis tous les
livres et tous les engins mécaniques, afin que ces
détritus du vaste monde ne viennent mettre en
péril notre tranquillité. J'ai suggéré que nous
soyons tous vêtus de même, et que nous mangions
tous la même chose, afin de nous préserver des
dissentiments, des clivages, des schismes.

– Jojishoji, dit Prunille ; ce qui signifiait en substance : « Bien franchement, je ne crois pas que brider la liberté d'expression ou toute autre forme de liberté soit la meilleure façon de diriger une communauté. »

– Et les autres étaient d'accord avec ces nouvelles coutumes ? traduisit prudemment Violette.

– Je ne les forçais pas, dit Ishmael, je n'ai jamais forcé personne. Toutefois, je reconnais que le cordial de coco a bien facilité les choses. La fermentation produit de grands effets. Ce breuvage est si fort – et si apprécié – qu'il joue ici, pour le peuple, le rôle d'un opiat.

– Léthé ? s'enquit Prunille.

– Un opiat, lui expliqua Klaus, c'est une préparation pharmaceutique opiacée – en principe à base de pavot, je crois – qui rend les gens somnolents, un peu engourdis, prêts à tout oublier…

– Plus ils boivent de ce cordial, compléta Ishmael, moins ils songent au passé et moins ils souffrent – y compris de ce qui leur manque.

– Voilà pourquoi personne ou presque ne s'en va, dit Violette. Les gens sont trop engourdis pour y songer seulement.

– De loin en loin, si, quelqu'un s'en va, reprit Ishmael, les yeux sur l'Incroyable vipère qui lui répondit d'un sifflement bref. Voilà un certain temps, deux femmes ont pris le large avec ce reptile et, quelques années plus tard, c'est un dénommé Jeudi qui a mis les voiles avec quelques camarades à lui.

– Jeudi est donc bien vivant, murmura Klaus. Comme le dit Kit.

– Oui, reconnut Ishmael, mais Miranda, sur ma suggestion, a raconté à sa fille qu'il avait péri dans une tempête, afin que la petite ne se tourmente pas à l'idée qu'un schisme a déchiré ses parents.

– Électre, commenta Prunille ; autrement dit : « On ne devrait jamais avoir de tels secrets dans les familles. »

Mais Ishmael ne demanda pas la traduction.

– À part ces fauteurs de trouble, reprit-il, tous les autres sont restés. Et on les comprend, ma foi.

La plupart de ces naufragés sont orphelins, comme moi, comme vous. Je connais votre histoire, enfants Baudelaire. Je l'ai apprise par bribes, à partir de tout ce que la mer a rejeté sur nos grèves – articles de journaux, rapports de police, gazettes financières, télégrammes, correspondances privées, *fortune cookies* chinois avec message à l'intérieur… Depuis le début de vos désastreuses aventures, vous trois, vous errez de place en place à travers ce monde fourbe, et jamais encore vous n'avez trouvé de refuge aussi sûr que celui-ci. Si vous restiez, hmmm ? Renoncez à la mécanique, à la lecture, à l'art culinaire. Oubliez tout du comte Olaf et de V.D.C. Renoncez à ce ruban, à ce calepin, à ce fouet à œufs, au radeau de livres sur la grève et optez pour une vie simple sur cette île, à l'abri de tout danger.

– Et Kit ? demanda Violette.

– Si j'en crois mon expérience, les Snicket sont des fauteurs de trouble. Au moins autant que les Baudelaire. C'est pourquoi j'ai suggéré son abandon sur les grèves, de peur qu'elle n'aille jeter le désordre dans la colonie. Mais après tout, s'il y a moyen de vous convaincre, vous trois, d'opter pour une vie simple, il doit en être de même pour elle, j'imagine.

Les enfants échangèrent un regard dubitatif. Le plus vif désir de Kit, ils le savaient, c'était regagner le vaste monde et y faire triompher la justice. En tant que volontaires, ils auraient dû n'avoir qu'un rêve : se joindre à elle. Mais à vrai dire ils n'étaient pas certains de tenir à quitter l'île, le premier endroit tranquille pour eux depuis une éternité, même s'il n'avait rien d'emballant.

– Ne pourrions-nous pas rester, suggéra Klaus, en menant une vie juste un tout petit peu moins simple, avec les matériaux et documents amassés ici ?

– Et épices ? ajouta Prunille.

– Et tenir tout ça secret ? dit Ishmael, fronçant les sourcils. Le taire aux autres ?

Klaus ne put se retenir :

– Ce n'est pas ce que vous faites, vous, peut-être ? Tout le jour vous restez assis sur votre siège à somnoler, à tenir la colonie à l'écart de ce qui vient du monde, et le soir vous montez ici en cachette, sur vos pieds en parfait état, pour écrire dans ce grand livre et croquer des pommes amères. Vous voulez que tout le monde mène une vie simple et sans danger – tout le monde, sauf vous.

– Nul ne devrait mener la vie que je mène, dit Ishmael, triturant longuement, tristement, sa barbe laineuse. Voilà des lustres que je répertorie ce que la mer rejette sur ces côtes et catalogue les récits que chacun de ces objets cherche à raconter. Je remets en état tous les ouvrages malmenés par les tempêtes, je prends note du moindre détail. Sur l'histoire tortueuse de ce pauvre monde, j'en ai lu plus long que quiconque ou quasi. Or, comme l'a dit un jour l'un de mes confrères, l'histoire du monde n'est pas autre chose que le grand registre des crimes, des folies et des malheurs de l'humanité.

– Ed Gibbon, commenta Prunille ; ce qui signifiait clairement : « Mais nous voulons la lire, nous, cette histoire, aussi misérable soit-elle ! »

Ce que ses aînés s'empressèrent de traduire.

Ishmael tirailla sa barbe mais il fit non de la tête, intraitable.

– Ne comprenez-vous donc pas ? Sur cette île, je ne suis pas seulement le facilitateur, je suis le père. Si je tiens cette bibliothèque à l'écart du peuple sous mon aile, c'est pour que jamais les miens ne soient perturbés par les terribles secrets du monde.

Sur ce, plongeant la main dans la poche de sa tunique, il en retira un petit objet qu'il montra aux enfants. C'était un anneau, sorte de bague ou de chevalière de style très orné, avec un R gravé sur le chaton. Les enfants le considérèrent en silence.

Alors Ishmael ouvrit l'énorme volume sur ses genoux et le feuilleta un instant, comme à la recherche de ses notes.

– Cet anneau, commença-t-il, fut jadis possession de la duchesse de Winnipeg, qui le donna à sa fille, laquelle était également duchesse de Winnipeg, qui à son tour le donna à sa fille, et ainsi de suite durant des générations. Au bout du compte, la dernière duchesse de Winnipeg s'engagea dans les V.D.C. et elle donna l'anneau au frère de Kit Snicket. Lequel en fit don à votre mère. Pour des raisons qu'il me reste à élucider, celle-ci le lui rendit, et il le donna alors à Kit, et Kit le donna à votre père, lequel le donna à votre mère lors de leur mariage. Elle le tenait précieusement rangé dans un coffret de bois que seule pouvait ouvrir une clé elle-même rangée dans un coffret de bois, coffret qui ne s'ouvrait que par le biais d'un code que Kit Snicket tenait de son grand-père. Le coffret de bois fut réduit en cendres dans l'incendie qui détruisit la maison Baudelaire, le capitaine Virlevent retrouva l'anneau dans les décombres de la grande demeure, mais le perdit en mer lors d'une tempête, et c'est la mer, pour finir, qui a rejeté cet anneau sur nos grèves.

– Neiklot ? interrogea Prunille ; autrement dit : « Mais pourquoi nous parler de cet anneau ? »

– L'important, dans l'histoire, n'est pas l'anneau, poursuivit Ishmael. C'est le fait que, jusqu'à cette minute même, vous ne l'ayez jamais vu, n'en ayez jamais entendu parler. Et pourtant cet anneau, riche de sa longue histoire secrète, a séjourné sous votre toit, en même temps que vous, des années durant. Mais jamais vos parents n'y avaient fait allusion. Jamais, j'en mettrais ma tête à couper, ils ne vous ont parlé non plus de la duchesse de Winnipeg, ni du capitaine Virlevent, ni de la fratrie Snicket, ni de V.D.C. Vos parents ne vous avaient pas dit, n'est-ce pas, qu'ils avaient vécu sur cette île, ni qu'ils en avaient été bannis. Ils ne vous avaient rien révélé de leurs désastreuses aventures à eux. Ils ne vous avaient pas raconté toute l'histoire.

– Alors laissez-nous lire ce livre, dit Klaus, et nous découvrirons tout par nous-mêmes.

Ishmael hocha la tête.

– Tu ne comprends pas, dit-il – et c'étaient là des mots que le jeune Baudelaire n'aimait guère entendre. Si vos parents ne vous ont jamais parlé de tout cela, c'était pour vous protéger, exactement comme cet immense pommier protège des coups de tabac tout ce qui est accumulé par-dessous, exactement comme je protège la colonie des complications du monde. Aucun parent doué de raison ne laisserait ses enfants lire ne serait-ce que le titre de cette funeste et lugubre chronique, si le choix lui était donné de les tenir plutôt à l'écart du monde et de ses turpitudes. À présent que vous êtes ici, ne voulez-vous donc pas respecter le souhait des vôtres ?

Il referma le gros volume, se leva, posa les yeux sur chacun des enfants tour à tour.

– Ce n'est pas parce que vos parents sont morts, reprit-il à mi-voix, qu'ils vous ont abandonnés. Surtout pas si vous restez ici et menez la vie qu'ils auraient voulu vous voir mener.

En pensée, Violette revit sa mère lui apporter cette tasse d'anis étoilé, au soir de la fameuse journée de querelle muette.

– Qu'en savez-vous ? demanda-t-elle, doutant de pouvoir se fier à sa réponse. Êtes-vous sûr que c'est vraiment ce que nos parents voulaient pour nous ?

– S'ils n'avaient pas voulu vous protéger, dit Ishmael, ils vous auraient tout raconté, pour vous permettre d'ajouter votre chapitre à cette désolante histoire. (Il déposa le gros volume sur le fauteuil et, d'autorité, mit l'anneau dans la main de Violette.) Votre place est ici, enfants Baudelaire. Sur cette île. Sous ma protection. Je dirai à mes compatriotes que vous avez changé d'avis, que vous renoncez à votre lourd passé.

– Seront-ils d'accord avec vous ? hasarda Violette, songeant à Erewhon et Finn, et à leur projet de mutinerie au petit déjeuner.

– Mais bien sûr qu'ils le seront. La vie que nous menons sur cette île vaut mille fois mieux que les fourberies du monde. Venez avec moi, les enfants. Retournons là-bas ensemble et vous vous joindrez à nous pour la salade d'algues du matin.

– Avec un peu de cordial, dit Klaus.

– Pas pommes, dit Prunille.

Ishmael aquiesça en silence, puis il ouvrit la voie par la trouée entre les racines, n'oubliant pas d'éteindre les lumières au passage.

Comme ils débouchaient dehors, les enfants se retournèrent pour jeter un dernier regard au repaire secret. Tout était noyé dans l'ombre, hormis la silhouette noir de jais de l'Incroyable vipère qui sinuait par-dessus l'énorme journal de bord pour rejoindre les enfants dans l'air du matin. Alors un rayon d'aurore se coula sous la feuillée du pommier géant, faisant luire les lettres d'or au dos de l'épais volume, et les enfants se demandèrent soudain si c'étaient leurs parents qui avaient frappé ces caractères ou l'inconnu qui, avant eux, avait écrit dans ces pages, ou encore celui d'avant, ou celui d'avant celui d'avant. Ils se demandèrent combien d'histoires contenait cette chronique au titre insolite, combien de personnes avaient posé les yeux sur ces lettres d'or avant de se plonger dans la lecture des crimes, folies et malheurs de ceux qui les avaient précédés, puis d'y inscrire les leurs à la suite, telle une mince pelure d'oignon.

Tout en redescendant du morne à travers le bric-à-brac, sur les pas de leur guide aux pieds d'argile, les enfants Baudelaire s'interrogeaient sur leur propre histoire, sur celle de leurs parents, sur celle de chacun des naufragés rejetés un jour sur ces grèves, chacun apportant son chapitre à *Une série de désastreuses aventures – Chronique d'infortunes en chaîne.*

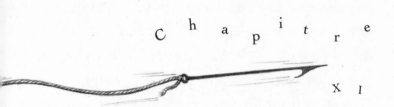

Chapitre

XI

Peut-être, un jour, quand vous étiez tout petit, vous a-t-on bordé dans votre lit, puis lu une histoire intitulée *La Petite Locomotive qui pouvait*, et si tel est le cas vous avez toute ma compassion, car c'est sans doute l'une des histoires les plus barbifiantes qui soient.

Parions que ce récit vous aura endormi en cinq minutes chrono, ce qui explique probablement pourquoi on en fait la lecture aux enfants, et je vais donc vous rappeler l'histoire, qui met en scène une petite locomotive douée de parole et de raison, ne me demandez pas comment. Quelqu'un prie la petite locomotive d'accomplir une mission très difficile, beaucoup trop soporifique pour que je la décrive ici, et la petite loco, au début, se demande si elle va être à la hauteur de la tâche. Puis elle se met à marmotter : « Je crois que je peux, je crois que je peux, je crois que je peux... », et avant longtemps, à force de marmotter, elle réussit. La morale de l'histoire est que, si vous vous répétez que vous pouvez faire ceci ou cela, alors vous pourrez faire ceci ou cela. Morale aisée à réfuter : essayez de vous répéter que vous pouvez ingurgiter d'un trait cinq litres de crème glacée ou rallier une île lointaine à bord d'un canoë de location percé de trous, vous m'en donnerez des nouvelles.

Si je résume l'histoire de la Petite Loco qui pouvait, c'est afin de m'assurer d'être bien compris lorsque j'affirme à présent que, pour regagner l'autre bout de l'île en compagnie d'Ishmael, les trois enfants étaient à bord de la Petite Loco qui ne pouvait pas.

Pour commencer, ils étaient bel et bien à bord du grand traîneau de bois dont Ishmael tenait les rênes, tout raide sur son siège d'argile et s'efforçant de diriger ses moutons sauvages – mais si vous vous êtes déjà demandé pourquoi on parle toujours d'attelages de chevaux ou, à la rigueur, de chiens de traîneau, sachez que c'est parce que les moutons sont assez mal adaptés à l'industrie des transports. Ils louvoyaient, ils zigzaguaient, ils s'autorisaient des détours, vagabondaient de çà, de là, serpentaient à leur guise, s'offraient une pause par-ci pour brouter un peu d'herbe, une autre par-là pour humer l'air salé – et le pire est qu'Ishmael cherchait à les convaincre par la persuasion, plutôt qu'au moyen de méthodes plus conformes à l'art des bergers en transhumance. « Je ne veux pas vous forcer, répétait-il, mais il me semble que vous autres ovidés pourriez aller un peu plus vite. » Et les moutons se contentaient de le regarder d'un air placide, puis de n'en faire qu'à leur idée.

Mais si les orphelins Baudelaire étaient à bord de la Petite Loco qui ne pouvait pas, ce n'est pas seulement pour cause de nonchalance ovine – expression signifiant ici : « inaptitude foncière des moutons à remorquer un lourd traîneau de bois à une allure acceptable » –, mais plus encore parce que leurs pensées à eux se révélaient sans effet. Contrairement à la petite locomotive du récit, les trois enfants avaient beau se répéter : « Je crois que je peux, je crois que je peux, je crois que je peux », ils n'en demeuraient pas moins incapables d'imaginer une heureuse issue à leur mauvaise passe. Ils avaient beau se répéter qu'ils croyaient pouvoir faire comme l'avait suggéré Ishmael, mener une vie simple sur l'île, ils ne se voyaient pas abandonner Kit sur les grèves, ni d'ailleurs la laisser regagner le monde pour s'assurer que justice soit faite sans l'accompagner dans cette mission. Ils avaient beau se répéter qu'ils croyaient pouvoir se conformer aux souhaits de leurs parents et vivre dans l'ignorance des désastres antérieurs aux leurs, ils n'imaginaient guère s'interdire d'aller jeter un coup d'œil au bric-à-brac sur le morne ou de lire, dans l'énorme livre, au moins les passages écrits de la main de leurs parents. Ils avaient beau se répéter qu'ils pouvaient se joindre à Finn et Erewhon dans leur mutinerie matutinale, ils ne se voyaient pas menacer le facilitateur et ses partisans avec des armes, et ce d'autant moins qu'ils n'avaient pas rapporté l'ombre d'une arme, pour finir. Ils avaient beau se répéter qu'au moins ils pouvaient se réjouir de savoir Olaf hors d'état de nuire, ils ne pouvaient approuver sans réserve son confinement dans une cage, et frémissaient à la pensée des spores de mort sous sa robe comme du plan diabolique sous son crâne.

Tout au long des sinusoïdes les menant du morne à la colonie, les trois enfants se répétèrent désespérément que tout allait pour le mieux, mais bien sûr tout n'allait pas pour le mieux. En réalité, tout allait pour le pire. Et Violette, Klaus et Prunille ne s'expliquaient pas comment un havre de paix avait pu devenir d'un seul coup, sitôt qu'ils y avaient mis les pieds, un lieu dangereux et compliqué. Assis sur le traîneau, les yeux rivés sur les pieds d'argile d'Ishmael, ils avaient beau, de toute leur âme, se dire qu'ils croyaient qu'ils pouvaient, qu'ils croyaient qu'ils pouvaient, qu'ils croyaient qu'ils pouvaient trouver une heureuse issue à leur désastreuse situation, ils voyaient bien que, tout simplement, ils ne pouvaient rien de tel.

Mais pour finir les moutons amenèrent le traîneau dans le sable des dunes, puis à travers l'ouverture béante de l'immense tente d'Ishmael. Une fois de plus, l'endroit était noir de monde, mais du monde en pleine chamaillerie, mot désignant ici, comme ses ancêtres la chamaille et le chamaillis, une monumentale prise de bec. On se serait cru dans une volière. À l'évidence, le contenu des coquillages qui se balançaient aux ceintures jouait mal son rôle d'opiat, et les gens de l'île étaient tout sauf somnolents et engourdis. Alonso tirait comme un bœuf sur le bras de Willa, qui hurlait comme un putois en écrasant le pied du Dr Kurtz. Sherman, plus rubicond que nature, jetait du sable dans les yeux de Mr Pitcairn, lequel semblait essayer de mordre les doigts de Brewster. Le professeur Fletcher aboyait aux oreilles d'Ariel, Ms Marlow trépignait face à Calypso, Madame Nordoff et le rabbin Bligh semblaient prêts à en venir aux mains. Byam tortillait sa moustache au nez de Ferdinand, Robinson triturait sa barbe en postillonnant sur Larsen et Weyden s'arrachait les cheveux, le ciel seul savait pourquoi. Jonah et Sadie Bellamy discutaillaient pied à pied, Vendredi et sa mère se tournaient le dos comme si elles ne devaient plus jamais s'adresser la parole, et Omeros était planté derrière le grand siège d'Ishmael, tenant curieusement les mains dans son dos.

À ce spectacle, Ishmael se figea, et les trois enfants en profitèrent pour glisser à bas du traîneau et se faufiler jusqu'à Finn et Erewhon qui les attendaient en piaffant.

– Où étiez-vous donc ? les accusa Finn. Nous vous avons attendus aussi longtemps que nous avons pu, mais après ça il a bien fallu quitter votre amie pour venir lancer la mutinerie.

– Vous avez laissé Kit toute seule là-bas ? s'alarma Violette. Vous aviez promis de rester auprès d'elle.

– Et vous, riposta Erewhon, vous nous aviez promis des armes ! Où sont-elles, enfants Baudelaire ?

– Nous n'en avons pas, avoua Klaus. Ishmael était là-bas.

– Ah ! le comte Olaf avait bien raison ! éclata Erewhon. Vous n'êtes pas dignes de confiance.

– Comment ça, demanda Violette, « le comte Olaf avait raison » ?

– Comment ça, demanda Finn, « Ishmael était là-bas » ?

– Comment ça, « Comment ça ? » ? demanda Erewhon.

– Comanssa comanssa comanssa ? demanda Prunille.

– S'il vous plaît, tous ! lança Ishmael depuis son siège d'argile. Je suggère que nous buvions un bon coup de cordial et que nous discutions cordialement !

– J'en ai soupé, de ce cordial ! s'emporta le professeur Fletcher. Et j'en ai soupé de tes suggestions, Ishmael !

– Appelle-moi Ish, pria le facilitateur.

– Moi, je t'appelle facilitateur à la noix ! lança Calypso.

– S'il vous plaît, s'il vous plaît ! répéta Ishmael, tirant sur sa barbe un bon coup. Quel est ce hourvari ? De quoi retourne-t-il ?

– Je vais te le dire, moi, de quoi il retourne ! déclara Alonso. Quand je suis venu m'échouer sur ces côtes, voilà déjà un fameux bail, c'était après une terrible tempête et un terrible scandale politique.

– Et alors ? dit le rabbin Bligh. Tôt ou tard, tout le monde vient s'échouer sur ces côtes.

– Je voulais en finir de ma désastreuse histoire, poursuivit Alonso, et la troquer contre une vie paisible, loin des ennuis. Mais voilà que certains, ici, parlent de mutinerie. Si nous n'y prenons garde, cette île va devenir aussi traîtresse que le vaste monde !

– Mutinerie ? s'effara Ishmael. Qui ose prononcer ce mot ?

– Moi, le brava la vieille Erewhon. J'en ai soupé de ta façon de faciliter, Ishmael. Quand je suis venue m'échouer sur cette île, c'était après une longue vie sur une autre île, encore plus lointaine. J'en avais assez de ma vie paisible, j'étais prête pour l'aventure. Mais chaque fois que, sur cette île, il se présente quelque chose d'un peu prometteur, aussitôt tu nous le fais jeter sur ce traîneau pour l'emporter au diable vauvert.

– Affaire de point de vue, plaida Ishmael. Je ne force jamais personne à jeter quoi que ce soit.

– Ishmael a raison ! intervint Ariel. De l'aventure, nous sommes un certain nombre à en avoir eu notre compte – assez pour le restant de nos jours ! Je suis arrivée sur ces côtes après m'être enfin évadée de prison, où j'avais dû me déguiser en jeune homme pendant une éternité ! Si je suis restée ici, c'est pour vivre en sécurité, pas pour me lancer une fois de plus dans des intrigues à haut risque !

– En ce cas, joignez-vous à notre mutinerie !
la convia Sherman. Ishmael n'est pas digne de
confiance ! Nous avions banni les enfants Baudelaire
sur les grèves, et regardez : le voilà qui nous les
ramène !

– Les enfants Baudelaire n'auraient jamais dû
être bannis, pour commencer ! riposta Ms Marlow.
Tout ce qu'ils voulaient faire, c'était venir en aide
à leur amie !

– Leur amie, parlons-en ! se récria Mr Pitcairn.
Vous lui trouvez l'air honnête, vous ? Elle est
arrivée sur un radeau de livres.

– Et alors ? dit Weyden. Moi aussi !

– Mais toi, tu y as renoncé, à tes livres, souligna
bien haut le professeur Fletcher.

– Elle n'y a pas renoncé du tout ! dénonça
Larsen. Même que vous l'avez aidée à les cacher,
professeur. Pour forcer ces pauvres enfants à
apprendre à lire !

– Mais nous le voulions, nous, apprendre à lire !
assura Vendredi.

– Quoi ? s'affola Mrs Caliban. Tu sais *lire* ?

– Tu ne devrais pas ! se récria Madame Nordoff.

– Et vous, vous ne devriez pas chanter des tyro-liennes ! contra le Dr Kurtz.

– Quoi, vous iodlez ? s'étrangla le rabbin Bligh. Peut-être une mutinerie serait-elle une bonne chose, après tout !

– Iodler, ce n'est pas pire que de trimbaler une torche électrique ! accusa Jonah, pointant Finn du doigt.

– Trimbaler une torche, ça vaut mieux que de cacher un panier à pique-nique ! accusa Sadie, désignant Erewhon.

– Cacher un panier à pique-nique, c'est moins grave que de se balader avec un fouet à œufs ! riposta Erewhon, indiquant Prunille.

– Toutes ces cachotteries vaudront notre perte ! prédit Ariel. La vie est censée être simple !

– Un peu de complication dans la vie ne gâte rien, assura Byam. Moi, au jour de mon nau-frage, je menais depuis des années la vie simple d'un matelot, et je m'ennuyais comme un rat mort.

– Comme un rat mort ? répéta Vendredi. Moi, je veux mener la vie simple que menaient mon père et ma mère, sans disputes et sans cachotteries.

– En voilà assez ! coupa Ishmael. Je suggère que nous mettions fin à ces discutailleries.

– Et moi, contra Erewhon, je suggère que nous poursuivions ces discutailleries !

– Je suggère que nous bannissions Ishmael et ses partisans ! lança le professeur Fletcher.

– Je suggère que nous bannissions les mutins ! lança Calypso.

– Je suggère une meilleure tambouille ! cria un autre.

– Je suggère double ration de cordial ! cria un autre encore.

– Je suggère une tenue moins tartignole !

– Je suggère de vraies maisons au lieu de tentes !

– Je suggère de l'eau douce !

– Je suggère de croquer les pommes amères !

– Je suggère d'abattre le pommier géant !

– Je suggère de faire brûler le canoë !

– Je suggère un concours de talents !

– Je suggère qu'on lise des livres !

– Je suggère qu'on brûle tous les livres !

– Je suggère le chant tyrolien !

– Je suggère l'interdiction du chant tyrolien !

– Je suggère un havre de paix !

– Je suggère une vie compliquée !

– Je suggère que tout est affaire de point de vue !

– Je suggère de la justice !

– Je suggère que nous mangions !

– Je suggère que nous restions et que vous partiez !

– Je suggère que vous partiez et que nous restions !

– Je suggère un retour à Winnipeg !

Les enfants Baudelaire s'entre-regardèrent, dépassés. Était-ce donc ainsi que se déclenchait un schisme, chacun montrant les dents à son prochain, y compris ceux qui étaient amis, ou membres d'une même famille, ou membres d'une même organisation secrète, ou qui partageaient une même histoire ? Les trois enfants, bien sûr, avaient déjà vu des foules en furie, tant à Villeneuve-des-Corbeaux qu'à l'hôtel Dénouement, lors du procès en aveugle, mais c'était la première fois qu'ils voyaient une communauté – en apparence paisible et unie – se déliter de façon aussi soudaine et absolue. En silence, ils regardaient les choses se faire ou plutôt se défaire, et il leur semblait imaginer à quoi avaient pu ressembler d'autres schismes, celui qui avait fait éclater V.D.C., celui qui avait valu à leurs parents de quitter cette île, et tant d'autres schismes encore dans la triste histoire du monde, chacun des protagonistes apportant sa suggestion, chaque histoire personnelle pareille à une pelure d'oignon et chaque désastreux événement pareil au chapitre d'une énorme et triste chronique.

En silence, les trois enfants observaient la monumentale chamaillerie, et se demandaient comment ils avaient pu espérer trouver sur cette île un havre de paix, loin des perfidies du monde, alors que tôt ou tard toute perfidie finissait sur ces côtes, prête à diviser ceux qui vivaient là.

Les esprits s'échauffaient, le ton montait, chacun suggérait son idée sans écouter une seule des suggestions d'autrui, jusqu'au moment où le tohu-bohu fut brisé net par une voix tonnante, plus forte à elle seule que toutes les autres réunies.

– SI-LENCE ! mugit cette voix.

Une silhouette s'encadrait dans l'entrée de la tente et les îliens se turent net, tournés vers la personne qui les englobait de son regard mauvais, toute raide dans sa longue robe que soulevait une bosse.

– Que… que faites-vous ici ? bégaya quelqu'un au fond de la tente. Nous vous avions… Nous vous croyions sur les grèves !

Alors la silhouette s'avança, et je suis au regret de dire qu'il ne s'agissait pas de Kit Snicket – elle-même en longue robe que soulevait une bosse, mais toujours allongée sur son radeau de livres –, car bien sûr c'était le comte Olaf et, bien sûr aussi, ce qui soulevait sa robe n'était autre que le casque recélant les spores de mort. Quant à la robe, les enfants la reconnaissaient à présent, c'était celle qu'Esmé d'Eschemizerre avait arborée dans les monts Mainmorte, cette chose hideuse évoquant des flammes, et qui avait fini par venir s'échouer sur cette île, comme tout le reste. À la seconde même où Olaf, balayant du regard l'assemblée, marquait un arrêt sur le trio avec un sourire sardonique, les trois enfants se demandaient quelle pouvait être l'histoire de cette robe et par quelles voies détournées, tout comme l'anneau que Violette tenait au creux de sa main, elle faisait ainsi son retour dans leur vie.

– Aha ! vous croyiez m'avoir chassé, hein ? corna le scélérat. Banni ? Ostracisé ? Comme si vous le pouviez ! Je suis le roi de cette île, le roi d'Olaffia !

– Cette île n'est pas Olaffia, rectifia Ishmael, tirant sur sa barbe d'un coup sec. Pas plus que vous n'êtes roi, Olaf.

Le comte renversa la tête en arrière pour rire à gorge déployée, et sa robe un peu fripée froufrouta de mépris, expression signifiant ici : « bruissa de la plus déplaisante façon ». Puis il pointa le menton vers Ishmael sur son siège d'argile et fanfaronna :

– Au fait, Ish, te souviens-tu ? Je te l'avais dit voilà des années, qu'un jour je te renverserais. Eh bien ! ce jour est arrivé. Je le savais, que tu étais toujours planqué sur cette île. Je le tenais de quelqu'un de mon bord, dont le nom est un jour de la semaine...

– Jeudi, lâcha Mrs Caliban.

Olaf se tourna vers la jeune femme aux taches de rousseur, fronça le sourcil et plissa les paupières.

– Non, dit-il. Lundi. Et elle essayait de faire chanter un vieux monsieur impliqué dans un scandale politique.

– Gonzalo, dit Alonso.

– Non, trancha Olaf, fronçant le sourcil derechef. Nous étions allés observer des oiseaux, ce vieux monsieur et moi, quand l'idée nous est venue d'emprunter une goélette phoquière dont le propriétaire était...

– Humphrey, avança Weyden.

– Non, dit Olaf, fronçant le sourcil une fois de plus. Son nom, en réalité, faisait l'objet de controverses, car un bébé adopté par ses enfants, devenus orphelins, portait le même.

– Bertrand, proposa Omeros.

– Non, dit Olaf, et son sourcil en chenille se contracta plus que jamais. Les papiers d'adoption étaient cachés dans le chapeau d'un banquier que sa banque a, par la suite, promu à un poste haut placé, le département des Orphelins ou quelque chose de ce tonneau-là.

– Mr Poe ? suggéra Sadie.

– *Oui*, dit Olaf, la mâchoire mauvaise. Encore que, à l'époque, il ait été plus connu sous son nom de scène. Mais je ne suis pas venu ici discuter du passé. C'est d'avenir que je veux parler. Comme tu peux le voir, Ishmael, tes insulaires mutines m'ont libéré de ma cage – et ce, pour te bouter hors de cette île et me couronner roi !

– Roi ? croassa Erewhon. Ce n'était pas au programme, Olaf.

– Si tu tiens à ta peau, la vieille, lui dit le comte fort peu courtoisement, je te suggère de filer doux.

– Des suggestions, déjà ? dit Brewster ébranlé. Vous ne valez pas mieux qu'Ishmael, monsieur, même si votre tenue est plus chic.

– Merci, dit Olaf avec son sourire de requin. Mais ce n'est pas la seule différence entre ce facilitateur à la gomme et moi. Il en est une autre, et une belle.

– Votre tatouage ? hasarda Vendredi.

– Non, dit Olaf. D'ailleurs, si vous sortiez de l'argile les grands pieds d'Ishmael, vous pourriez constater qu'il porte le même que moi.

– Un trait d'eyeliner ? tenta Madame Nordoff.

– Non ! aboya Olaf. La différence, c'est qu'il est désarmé. Ishmael a renoncé aux armes voilà bien longtemps déjà, lors du schisme de V.D.C. Il a renoncé à toute forme de violence. Et aujourd'hui vous allez voir quel empaillé vous avez là.

Il se tut, balaya de nouveau l'assemblée du regard et, de ses mains jaunes, caressa son ventre rond à la façon d'une future maman. Puis il se tourna vers le facilitateur, qui venait de prendre quelque chose des mains d'Omeros, et enchaîna d'une voix forte :

– J'ai ici une arme, Ishmael. La seule qui puisse vous mettre en péril tous à la fois, tes partisans et toi. Je suis le roi d'Olaffia, ni tes moutons ni toi n'y pouvez rien.

– J'en serais moins sûr, si j'étais toi, dit Ishmael.

Et il brandit bien haut, à la vue de tous, ce qu'Omeros venait de lui remettre : le lance-harpon, celui-là même que la mer avait apporté avec Olaf et les jeunes Baudelaire ; l'arme qui avait tiré, entre autres, sur un oiseau en mission devant l'hôtel Dénouement, sur un engin volant à air chaud au-dessus de Villeneuve-des-Corbeaux, et sur une machine à barbe à papa dans une fête foraine, au temps où les parents Baudelaire étaient encore très, très jeunes. Pointée droit sur le comte Olaf, elle ne demandait pas mieux que d'ajouter un nouveau chapitre à sa propre histoire secrète.

– J'avais dit à Omeros de garder cet objet à portée plutôt que de le jeter aux moutons, déclara Ishmael, et je vois que j'avais bien fait. Parce que je m'en doutais, Olaf, que tu risquais de sortir de cette cage ; tout comme je suis sorti de celle où tu m'avais enfermé, le jour où tu as mis le feu à ma maison.

– Ce feu-là ? Ce n'était pas moi, dit Olaf, ses petits yeux luisant comme des braises.

– J'en ai soupé, de tes mensonges ! explosa Ishmael.

Il se leva d'un bloc. À la vue du vieil homme debout, lui qui souffrait tant des pieds, les îliens restèrent bouche bée – ce qui n'est jamais recommandé quand l'air risque d'être contaminé, que ce soit par les spores d'un champignon tueur ou par tout autre polluant délétère.

– Et maintenant, Olaf, reprit Ishmael, je vais faire ce que j'aurais dû faire voilà tant d'années. Te supprimer. Oui, je vais te tirer dessus, droit dans ton espèce de bedaine.

– *Nooon !* hurlèrent en chœur les enfants Baudelaire.

Mais leurs trois voix réunies furent couvertes par le rire satanique d'Olaf, et Ishmael, sans même les entendre, pressa sur la détente fatidique.

Il y eut un *clic !* suivi d'un *whoosh !* puis, comme le harpon frappait le comte Olaf de plein fouet, droit où l'avait annoncé Ishmael, un bruit de verre

pulvérisé. Et *Amanita gorgonoïdes*, la fausse golmotte médusoïde à la sombre histoire bien à elle,
se retrouva libre enfin de disperser ses spores à
tout vent, jusque dans ce havre sûr à l'écart des
perfidies du monde.

Sous la grande tente aux flancs battant mollement,
chacun eut le souffle coupé – hommes, femmes,
enfants, orphelins, cœurs nobles et scélérats, gens
de bonne volonté, gens de mauvaise et de toutes
nuances intermédiaires. Or, vous l'avez sûrement
remarqué, lorsqu'on a le souffle coupé, on s'em-
presse invariablement, par instinct de conserva-
tion, d'aspirer une bonne bouffée d'air, *happ !* juste
avant le blocage du souffle. C'est ce que fit tout
un chacun et, ce faisant, tout un chacun inhala sa
dose de spores mortifères à la vue du comte Olaf
qui basculait à la renverse, riant encore à gorge
déployée, inhalant lui-même tant et plus.

Et à cette seconde précise le schisme îlien prit
fin, parce que tout un chacun – y compris les
enfants Baudelaire – se retrouva pris brutalement
dans le même désastreux événement.

Chapitre XII

C'est un phénomène étrange, mais avec l'âge
et l'expérience on découvre que les bonnes choses

produisent des effets d'accoutumance infiniment plus vite que les mauvaises.

Par exemple, la deuxième fois que vous dégustez un flotteur à la racinette – appellation contrôlée signifiant ici : « boisson gazeuse sucrée à base de racines variées, dans laquelle flotte une boule de glace à la vanille » –, l'extase procurée par cette mixture exquise n'est pas tout à fait aussi vertigineuse que la première, et la douzième fois elle l'est encore moins, et ainsi de suite jusqu'à ce que le flotteur à la racinette ne vous procure presque plus d'extase, parce que vous vous êtes accoutumé au mariage de la crème glacée fondante avec la boisson à petites bulles. À l'inverse, la deuxième fois que vous découvrez un clou de tapissier dans la mixture susdite, votre consternation est sans commune mesure avec la première, en laquelle vous n'aviez vu qu'un accident et non une manœuvre délibérée du serveur, mot signifiant ici : « garçon de bar qui cherche à vous mettre la langue en charpie ». Et la douzième fois cette consternation tourne à l'accablement, au point que bientôt vous ne pourrez plus prononcer ces mots pourtant réjouissants, « flotteur à la racinette », sans ravaler un sanglot. Bref, tout se passe comme si les bonnes choses perdaient très vite leur capacité à nous surprendre, alors que les mauvaises suscitent toujours notre ébahissement incrédule. Ainsi, lorsque éclata le verre du casque de scaphandre, les orphelins, cloués sur place, commencèrent par refuser de croire à ce que, pourtant, ils voyaient de leurs yeux ; et même lorsqu'ils sentirent les spores du champignon fatal pénétrer leurs voies respiratoires, chacun de ces minuscules grains de poussière leur chatouillant le gosier comme un trépignement de fourmi, même alors ils refusèrent de croire que pareil désastre venait de frapper leur vie une fois de plus.

– Qu'est-ce qui se passe ? cria Vendredi. J'ai entendu comme un bruit de verre cassé !

– Du verre cassé, dit la vieille Erewhon, peu importe. Mais quelque chose m'irrite le gosier !

– Votre gosier, dit Finn, peu importe. Mais je vois Ishmael debout sur ses deux pieds !

Toujours à terre, le comte Olaf hulula de rire. D'un geste théâtral, il arracha le harpon du fouillis d'éclats de verre et de lambeaux de velours sur sa panse et renvoya l'arme aux pieds d'Ishmael dans leur gangue d'argile.

– Ce que vous avez entendu, dit-il avec un ricanement mais sans faire mine de se relever, c'est le bruit d'un casque de scaphandre pulvérisé. Ce qui vous irrite la gorge, ce sont les spores de la médusoïde, champignon mortel entre tous. Et votre assassin, sachez-le, c'est l'homme que vous voyez là, debout sur ses deux pieds !

– Médu… soïde ? répéta Ishmael hébété. Sur ces côtes ? Impossible ! J'ai passé ma vie à tenir cette île à l'abri de ce champignon meurtrier !

– Rien n'est jamais à l'abri pour toujours, grâce au ciel, railla le comte Olaf. Et vous êtes bien placés, vous autres insulaires, pour savoir que, tôt ou tard, tout vient s'échouer sur ces côtes. Voyez ? La famille Baudelaire a fait son grand retour ici, après avoir été bannie des années. Et ce sont ces trois-là, sachez-le, qui vous ont apporté le précieux champignon !

Ishmael stupéfait sauta à bas du traîneau pour faire face aux orphelins. À l'atterrissage, la coque d'argile qui empaquetait ses pieds se brisa et les trois enfants constatèrent que la cheville gauche du facilitateur s'ornait d'un œil tatoué, comme le leur avait dit Olaf.

– Vous ? rugit le vieil homme, les yeux sur les orphelins. C'est vous qui avez apporté ça ici ? Vous aviez ce champignon mortel depuis le début, et vous nous l'avez caché ?

– Ah ! tu peux parler de cachotteries ! éclata Alonso. Regarde-moi ces pieds. Invalides, hein ? La racine du problème, c'est ta malhonnêteté !

– Non, cria Ariel, la racine du problème, ce sont ces mutins ! S'ils n'avaient pas libéré le comte Olaf, rien de tout ça ne serait arrivé !

– Affaire de point de vue, dit le professeur Fletcher. À mon avis, la racine du problème, c'est nous tous. Si nous n'avions pas mis Olaf dans cette cage, il ne nous aurait pas menacés.

– La racine du problème, en vérité, dit Ferdinand, c'est que nous n'ayons pas trouvé nous-mêmes ce casque de scaphandre. Si nous l'avions récupéré après la tempête, à l'heure qu'il est, les moutons l'auraient emporté.

– La racine du problème ? dit le Dr Kurtz. C'est Omeros ! C'est lui qui a donné ce lance-harpon à Ishmael, au lieu de l'envoyer au dépotoir.

– Non, non, non ! protesta Larsen, la racine du problème, c'est Olaf. C'est lui qui a introduit le champignon sous la tente.

– Je ne suis pas la racine du problème ! gronda Olaf, redressé sur ses coudes, puis il toussa un bon coup. Je suis le roi de cette île !

– Roi ou pas, dit Violette, ça n'a pas grande importance. Vous avez respiré des spores mortelles, comme nous tous.

– Violette a raison, dit Klaus. Ce n'est pas le moment de discutailler ! Savez-vous ce qu'on dit de la médusoïde ? (Il réfléchit une fraction de seconde, le temps de retrouver deux vers que lui avait appris Fiona, peu avant de lui briser le cœur.) *En une heure, une spore est assez / Pour faire de vous un trépassé*. Laissons de côté nos bisbilles et unissons nos forces ! Sans quoi, nous sommes perdus.

Instantanément, la tente s'emplit de hauts cris, de lamentations, de glapissements d'horreur et de panique.

– Perdus ? gémit Madame Nordoff. Mais nous n'en avons pas mangé, de ce champignon ! Moi, je croyais que c'était seulement un aliment interdit de plus !

– Je ne suis pas restée sur cette île pour mourir ! se lamentait Ms Marlow. Mourir, je pouvais faire ça chez moi !

– Personne ne va mourir, déclara Ishmael d'un ton ferme.

– Affaire de point de vue, dit le rabbin Bligh. Nous mourrons tous, la chose est certaine.

– Pas si vous vous rendez à mes suggestions, soutint Ishmael. Pour commencer, je suggère que nous buvions tous un bon coup de cordial. De quoi chasser de nos gosiers ces vilaines spores.

– Absolument pas ! s'écria Violette. Le lait de coco fermenté est sans effet sur la fausse golmotte médusoïde !

– Et quand bien même ? dit Ishmael. Au moins, ça nous calmera.

– Ça nous rendra somnolents et apathiques, oui, plutôt ! rectifia Klaus. Ce cordial agit comme un opiat.

– Un peu de cordialité n'a jamais fait de mal à personne, soutint Ishmael. Je suggère que nous discutions de la situation bien cordialement. Recherchons, à nous tous, quelle est la racine du problème. Ce débat nous fournira la solution.

– Voilà qui paraît raisonnable, dit Calypso.

– Trahison des clercs ! cria Prunille, ce qui signifiait, en clair : « Vous oubliez à quelle vitesse le poison agit ! »

– Prunille a raison, dit Klaus : il y a urgence ! Pas le temps de nous asseoir autour d'une table, même sans table, pour discuter en sirotant. Il nous faut une solution tout de suite !

– Et si solution il y a, dit Violette, elle ne peut être qu'à l'autre bout de l'île. Dans le repaire secret sous les racines du grand pommier.

– Repaire secret ? répéta Sherman. Quel repaire secret ?

– Il y a une bibliothèque, là-bas, dit Klaus – et l'assistance eut un choc. Tout ce qui est venu s'échouer sur cette île y est répertorié par le menu, avec toutes les histoires qui s'y rapportent.

– Et cuisine, ajouta Prunille. Radis cheval peut-être.

– Le radis de cheval, c'est le raifort, expliqua Violette en hâte. Un contrepoison. (À son tour, elle se concentra une seconde pour retrouver la suite du petit poème sur la médusoïde.) Comme l'assure le dicton : *Et l'antidote à ce mal / Est le radis de cheval.* (Elle parcourut des yeux les visages tournés vers elle, décomposés par la terreur.) Dans la cuisine sous le pommier géant, il pourrait y avoir du raifort. C'est notre seule chance – si nous faisons vite.

– Ils mentent ! cria Ishmael. À l'autre bout de l'île, il n'y a que la décharge, avec tout le rebut jeté là depuis des décennies ! Et sous les racines du pommier, il y a de la terre, pardi ! Une fois de plus, ces Baudelaire essaient de vous rouler.

– Nous n'essayons de rouler personne, insista Klaus. Nous essayons de sauver tout le monde.

– Ne les croyez pas ! s'entêta Ishmael. Ils le savaient, que le champignon était ici, et qu'ont-ils fait ? Ils ont gardé bouche cousue ! On ne peut pas leur faire confiance ! Je suggère que nous nous asseyions tous et prenions un peu de cordial.

– Razoo ! commenta Prunille ; autrement dit : « C'est à vous qu'on ne peut pas faire confiance ! »

Mais ses aînés, plutôt que de traduire, s'approchèrent d'Ishmael pour le prendre en aparté, du moins autant que faire se pouvait.

– Mais pourquoi perdre du temps ? lui dit Violette à mi-voix. Chaque minute de parlote, c'est une chance de survie en moins.

– Nous avons tous respiré le poison, dit Klaus. Nous sommes tous dans le même bateau.

Ishmael leva les sourcils, puis il eut un sourire dur et marmonna entre les dents :

– C'est ce qu'on verra. Maintenant, ouste, vous autres ! Disparaissez.

– Schnell ! répondit Prunille ; ce qui signifiait : « Plutôt deux fois qu'une ! » Et ses aînés étaient entièrement d'accord.

Les trois enfants sortirent de la grande tente, non sans un dernier regard pour les îliens hagards, pour leur facilitateur rechigné, et pour le comte Olaf qui, curieusement, gisait toujours sur le dos, se tenant le ventre, comme si le harpon n'avait pas seulement pulvérisé le casque, mais l'avait touché aussi, finalement.

Pour regagner l'autre bout de l'île sous le soleil de l'après-midi, les trois enfants n'étaient pas, cette fois, à bord d'un traîneau tiré par des moutons, et pourtant, une fois de plus, il leur sembla cheminer à bord de la Petite Loco qui ne pouvait pas. Non seulement l'issue de l'expédition était des plus incertaines, mais encore les spores diaboliques amorçaient leur invasion. De minute en minute, Violette et Klaus découvraient ce qu'avait enduré leur petite sœur lorsque, au fin fond de l'océan, elle avait failli périr asphyxiée par le champignon tueur ; et Prunille elle-même subissait un odieux cours de recyclage, expression signifiant ici : « nouvelle chance d'éprouver en direct les sensations inédites que procure la prolifération de champignons caoutchouteux au fond de votre gosier ». Chemin faisant, à plusieurs reprises, les trois enfants durent s'arrêter pour tousser, les spores ayant entamé leur germination fatidique, et lorsqu'ils atteignirent le pied du pommier géant, ils sifflaient plus fort, en respirant, que trois loco-motives réunies.

– Vite, souffla Violette. Temps compté.

– Direction : la cuisine, dit Klaus en se coulant par la trouée entre les racines, comme le leur avait montré l'Incroyable vipère.

– Radis cheval, pourvu ! dit Prunille, suivant son frère, sans soupçonner l'amère déception qui les attendait tous trois.

Violette actionna l'interrupteur, la cuisine s'éclaira, et les trois enfants se ruèrent sur l'étagère à épices pour en inventorier le contenu. Mais à mesure qu'ils passaient en revue les étiquettes des pots et flacons alignés là, leurs espoirs s'amenuisaient. Oh ! il y avait bien leurs épices et aromates favoris, y compris la sauge, l'origan, le paprika – et même plusieurs de chaque, classés suivant la provenance et la force. Et il y avait aussi ceux qu'ils aimaient le moins, tels le persil séché, qui a tout juste goût de foin, et l'ail en semoule, qui annihile toute autre saveur. Il y avait là diverses substances qu'ils associaient à des plats précis, tels le curcuma, dont leur père aromatisait sa fameuse soupe de cacahuètes au curry, ou la noix muscade, que leur mère râpait pour en parfumer son pain d'épice, et d'autres qu'ils n'associaient à rien du tout, tels la marjolaine, dont chacun semble posséder son flacon sans jamais en mettre nulle part, ou le zeste de citron en poudre, qui ne devrait être utilisé qu'en dernière extrémité, en cas de panne sèche de citron frais. Il y avait là ce qu'on trouve partout, comme le sel et le poivre, et ce qu'on ne trouve guère qu'en certains points du globe, comme le piment chipotle, qui exige un palais blindé, ou le mélange d'épices pour vindaye, non moins corsé même s'il tait sa composition. Mais aucune de ces étiquettes, aucune, ne disait RAIFORT ni RADIS DE CHEVAL. Et lorsque, fiévreusement, les trois enfants ouvrirent chacun des pots et flacons afin d'en flairer le contenu, aucune de ces poudres, brisures de feuilles ou graines variées ne dégageait la forte odeur qu'ils se rappelaient avoir respirée au passage, naguère, devant l'usine de moutarde et raifort de la route des Pouillasses.

– Pas de raifort, résuma Violette accablée, remettant à sa place un flacon d'estragon. Il y avait le wasabi, aussi, qui pouvait le remplacer.

– Eutrema, confirma Prunille d'une petite voix sifflante.

– Sauf qu'il n'y en a pas non plus, dit Klaus, refermant un flacon de macis avec une grimace. À moins qu'ils ne soient cachés quelque part ailleurs.

– Qui veux-tu qui aille cacher du raifort ou du wasabi ? dit Violette après une quinte de toux.

– Parents, dit Prunille. À nous.

– Hé ! pas faux, reconnut Klaus. Puisqu'ils connaissaient l'Aquacentre Amberlu, ils devaient connaître aussi les dangers de la médusoïde. Tout raifort venu s'échouer sur ces côtes en devenait sacrément précieux.

– Et tu crois que nous avons le temps de remuer ciel et terre pour trouver du raifort caché ? dit Violette. (Tout en parlant, elle plongeait la main dans sa poche afin d'y repêcher, sous l'anneau donné par Ishmael, le ruban dont il s'était fait un marque-page, celui dont elle s'attachait les cheveux pour mieux réfléchir.) Ce serait mission impossible, tu sais, conclut-elle. Plus encore que de retrouver le sucrier à travers tout l'hôtel Dénouement.

À ce mot, « sucrier », Klaus essuya ses lunettes en hâte et ouvrit son calepin récupéré pour le feuilleter vivement, tandis que Prunille, pensive, rongeait son fouet à œufs.

– Au fait, dit-il en tournant les pages, peut-être que le raifort est caché dans un autre flacon ?

– On les a tous flairés, lui rappela Violette dont la respiration se faisait chuintante. Aucun ne sent le raifort.

– Mais l'odeur pourrait être masquée par celle de l'autre épice, s'entêta Klaus. Quelque chose d'encore plus agressif que le raifort. Prunille, qu'est-ce qu'il y a de plus agressif, comme épices ?

– Girofle, dit Prunille, et elle reprit son souffle. Cardamome. Arrow-root. Absinthe.

– Absinthe, répéta Klaus, songeur, et il se reprit à feuilleter son calepin de plus belle. Kit avait parlé de l'absinthe, un jour…

Leurs pensées allèrent à cette pauvre Kit, toute seule sur la grève. Pour elle aussi, il fallait faire vite.

– Oui, se souvint Violette. Elle nous avait dit que le thé doit être amer comme l'absinthe et mordant comme un glaive à deux tranchants. Et on nous a redit la même chose, je me rappelle, en nous servant du thé juste avant le procès.

– Absinthe, dit Prunille, a pas.

– Non, admit Violette, mais Ishmael aussi a parlé de thé amer. Vous savez bien : son histoire d'élève qui craignait de se faire empoisonner…

– Empoisonnés, en attendant, c'est nous qui le sommes, dit Klaus qui sentait ces maudits champignons s'ancrer dans son pharynx et y prendre vigueur. Dommage qu'on n'ait pas entendu le fin mot de l'histoire.

– Dommage qu'on n'ait pas entendu *toutes* les histoires, dit Violette, la voix rouillée. Dommage que nos parents ne nous aient pas tout raconté, au lieu d'essayer de nous protéger des fourberies du monde.

– Tout raconté… peut-être qu'ils l'ont fait ? dit soudain Klaus, encore plus enroué que son aînée, et, gagnant le centre de la pièce, il ouvrit, sur l'un des fauteuils, *Une série de désastreuses aventures*. Ils ont inscrit là-dedans des tas de secrets, apparemment. S'ils ont caché du raifort quelque part, parions que c'est indiqué ici.

– On n'aura jamais le temps de lire tout ça, se découragea Violette. Pas plus que de farfouiller à travers tout le dépotoir.

– Si trop tard, dit soudain Prunille, sa petite voix à demi étouffée, trop tard ensemble.

Alors les trois enfants s'étreignirent en silence un instant.

Comme la plupart des mortels, il leur était arrivé déjà, pris d'une étrange humeur morbide, d'essayer d'imaginer leur propre fin – encore que, depuis ce triste jour où, sur la plage de Malamer, Mr Poe les avait informés de l'incendie, ils avaient été bien trop occupés à sauver leur peau pour avoir le loisir de jouer à s'inventer une fin. Sauf exception, il va de soi, nous n'avons guère notre mot à dire sur la façon dont nous finirons, mais si les trois enfants s'étaient vu proposer le choix, ils auraient sans doute opté pour une honnête longévité – ce qui, d'ailleurs, pourrait être leur lot, du moins pour autant que je sache. Mais tant qu'à périr à l'âge tendre, s'il le fallait vraiment, partir tous trois ensemble, en lisant ce qu'avaient écrit leurs parents, leur semblait une option préférable à bien d'autres. Aussi se casèrent-ils dans l'un des deux grands fauteuils de lecture, délibérément serrés comme trois sardines, puis, ouvrant l'énorme volume, c'est ensemble qu'ils tournèrent les pages, à la recherche de celles qui correspondaient à l'arrivée de leurs parents sur l'île et à l'apparition de leurs écritures dans le grand journal de bord.

Les deux écritures familières alternaient, tantôt celle de leur père, tantôt celle de leur mère, et les enfants imaginaient sans peine leurs parents assis dans ces mêmes fauteuils, se faisant mutuellement la lecture à voix haute, chacun suggérant à l'autre des détails à ajouter dans ce grand registre des crimes, des folies et des malheurs de l'humanité que se révélait être *Une série de désastreuses aventures*. Les jeunes Baudelaire, bien évidemment, auraient mieux aimé savourer les mots tracés là – expression signifiant ici : « lire lentement, en prenant leur temps, chaque phrase tracée par leurs parents, ces écrits se révélant une sorte de cadeau posthume ». Mais les progrès du champignon les forçaient à lire en diagonale, à la recherche des mots-clés « radis de cheval », « raifort » ou « wasabi ».

S'il vous est déjà arrivé de lire un livre en diagonale, vous savez qu'on en retire une étrange idée du contenu, un fatras d'informations décousues, et certains auteurs n'hésitent pas à insérer au milieu de leurs écrits les phrases les plus saugrenues, dans le seul but d'égarer le lecteur qui lirait en diagonale. Trois bonshommes courts sur pattes transportaient un immense panneau de bois très plat, sur lequel était peint un décor de salle de séjour. Parcourant les pages à sauts de criquet, de paragraphe en paragraphe, à la recherche du secret qu'ils ne désespéraient pas de dénicher, les trois enfants tombaient sur des bribes d'autres secrets de leurs parents, des noms de gens qu'ils avaient croisés, des choses dites ou chuchotées, des échanges de codes compliqués et mille autres détails intrigants – et ils souhaitaient vivement qu'un jour l'occasion leur serait donnée de relire *Une série de désastreuses aventures*, dans des circonstances moins pressantes. Cet après-midi-là, hélas, il leur fallait lire de plus en plus vite, cherchant fébrilement l'indice qui seul pourrait les sauver, tandis que s'écoulait le compte à rebours fatidique et que le champignon tueur accélérait sa croissance, comme si lui-même n'avait pas le temps de savourer sa progression infernale. Les minutes passaient, les enfants lisaient, leur respiration se faisait de plus en plus laborieuse et sifflante – et lorsque Klaus, pour finir, repéra l'un des mots qu'il cherchait avec tant d'avidité, il crut un instant s'être trompé, la vue brouillée par les maléfices de la fausse golmotte médusoïde.

– *Raifort !* coassa-t-il d'une voix cassée. Regardez, là : « À cause d'Ishmael, cet alarmiste de première bourre, les travaux de creusement du tunnel sont arrêtés, alors que nous avons pléthore de raifort, en cas d'urgence. »

Violette voulut dire quelque chose, mais elle commença par s'étouffer, et dut tousser longuement.

– Alar… miste… de première bourre ? dit-elle enfin. Qu'est-ce que ça veut dire ?

– Plétor ? demanda Prunille d'un filet de voix.

– Un « alarmiste », dit Klaus dont le goût pour les définitions n'était pas affecté par le champignon, c'est quelqu'un qui exagère les dangers. « De première bourre », ça signifie : « excellent dans son domaine ». Et « pléthore », c'est : « plus qu'assez ». (Il respira un grand coup, sifflant comme une cocotte-minute, puis reprit sa lecture à voix haute :) « De plus, nous sommes en train d'introduire les principes actifs du raifort dans le végétal de notre voûte racinaire et, si nos efforts portent fruit, la sécurité sera assurée pour l'avenir, même si le danger perdure pour ceux de nos membres encore in utero. Naturellement, au cas où nous serions bannis, Beatrice en cache une petite quantité dans un récip... »

Le garçon s'interrompit, pris d'une quinte de toux si violente qu'il en laissa tomber le gros volume à terre. Ses sœurs s'agrippèrent à lui pour tenter d'apaiser ses spasmes et, sitôt qu'il eut recouvré son souffle, il reprit la parole, désignant le plafond d'une main pâle.

– Voûte racinaire... Sûrement, notre père voulait parler de ces racines, là, au-dessus de nos têtes. Et le principe actif, dans une substance, c'est la partie qui agit. Mais je... je ne vois pas ce que... (Il eut un violent frisson et ses lunettes s'embuèrent.) Je ne comprends pas, acheva-t-il, misérable.

Violette leva les yeux vers les racines pythons au-dessus de leurs têtes, là où le tube du périscope disparaissait dans l'entrelacs. À sa grande horreur, elle s'aperçut que sa vue se brouillait, comme si les champignons croissaient aussi sur ses yeux.

– Ce que je comprends, moi, hésita-t-elle, c'est qu'ils ont essayé de mettre de… de ce qui fait la force du raifort – le principe actif, comme tu dis – dans le pommier géant. Par ses racines. Une espèce de… d'hybridation… enfin, peut-être pas d'hybridation vraiment, l'hybridation ne se fait pas par les racines, il ne me semble pas, mais de… de mélange. Pour assurer la sécurité sur l'île. Du moins si l'expérience a réussi, c'est ce que signifie sans doute « si nos efforts portent fruit ». Comme un arbre porte ses fruits…

– Pomme ! s'écria Prunille d'une petite voix étranglée. Pommamère !

– Hé ! mais oui, chuinta Klaus. Le pommier doit contenir quelque chose qui vient du raifort, de sa sève, de ses gènes, de je ne sais quoi. Et voilà pourquoi ses pommes sont amères !

– Si c'est vrai, dit Violette, c'est que l'expérience a réussi et donc elles doivent contenir de l'antidote.

– Eden, dit Prunille avec un petit couac. Gen, troi, cink.

Et, glissant à bas des genoux de ses aînés, non sans souffler comme un bébé phoque, elle se précipita en direction de la trouée. Klaus voulut la suivre, mais le poison lui donnait le vertige, un vertige si féroce qu'il dut se rasseoir, se tenant la tête à deux mains. Violette toussa très fort, à en cracher ses poumons, puis elle tira son frère par le bras.

– Viens ! dit-elle, sifflant avec frénésie.

Il fit non de la tête.

– Crois pas… que j'y arriverai.

Prunille avait presque atteint la trouée, mais brusquement elle se roula par terre, recroquevillée de douleur.

– Kaput ? dit-elle d'une voix minuscule.

– On ne va tout de même pas mourir ici, souffla Violette, si faiblement que c'est à peine si ses cadets purent l'entendre. Alors que nos parents ont tout fait pour nous sauver, sans le savoir, ici même…

– Mais peut-être… que c'est la fin quand même, murmura Klaus. La fin de notre histoire.

– Cordeuchap, dit Prunille.

Mais ses aînés n'eurent pas le temps de lui demander ce qu'elle entendait par là, car un autre son se fit entendre, confidentiel, étrange, dans le repaire secret sous le pommier géant que leurs parents avaient mâtiné de radis de cheval, des années plus tôt. C'était un son sibilant, mot que les médecins emploient, justement, pour qualifier le râle que produisaient les enfants étouffés par le champignon tueur, et que les linguistes, de leur côté, réservent à certaines consonnes comme le *s* et le *z* – bref, c'était un son sifflant, tel celui que peut produire une locomotive à vapeur s'immobilisant le long d'un quai, ou une salle de spectacle à la fin d'une pièce signée Al Funcoot.

Dans le désarroi où ils se trouvaient, les enfants Baudelaire crurent un temps qu'il s'agissait là du sifflement narquois d'*Amanita gorgonoïdes* célébrant son vénéneux triomphe, ou peut-être celui de leurs espoirs achevant de s'évaporer. Mais la sibilance en question, malgré sa similitude saisissante avec les sons sifflants susmentionnés, était de tout autre origine. Elle provenait de l'un des rares occupants de l'île à se trouver là non après un naufrage, mais après deux. Or, peut-être en raison de sa propre triste histoire, cet insulaire-là éprouvait la plus profonde compassion pour les orphelins Baudelaire – même s'il est toujours difficile de savoir dans quelle mesure un animal, aussi affectueux soit-il, peut éprouver de la compassion. Étant donné la nature de l'animal en question, j'avoue m'être abstenu d'enquêter personnellement sur ce point, et mon unique camarade herpétologue, hélas ! a vu son histoire s'achever avant l'heure voilà longtemps déjà, de sorte que nous ne connaîtrons sans doute jamais le fond de la pensée du reptile. Mais hormis ce détail non élucidé, la suite de l'histoire ne fait aucun doute. Le gros et long serpent se coula dans le repaire par la trouée entre les racines, et le doux sifflement par lui susurré était sans équivoque : entre ses maxillaires, l'Incroyable vipère apportait une offrande aux orphelins Baudelaire.

Une pomme.

Chapitre XIII

C'est un fait inexpliqué mais certain : la première bouchée d'une pomme est toujours la meilleure, ce qui est d'ailleurs pourquoi l'héroïne d'un livre infiniment plus plaisant que celui-ci passe un après-midi entier à croquer la première bouchée de tout un boisseau de pommes. Mais même cette petite fille frondeuse – et ici *frondeur* signifie : « aimant les pommes » – ne savoura jamais bouchée de pomme aussi fabuleuse que la première bouchée que chacun des orphelins Baudelaire préleva sur ce fruit du pommier que leurs parents avaient enrichi de raifort. La pulpe en était loin d'être aussi amère que les trois enfants s'y étaient attendus, et le raifort donnait à son jus un petit goût piquant comme un matin d'hiver. Mais bien évidemment le principal attrait de cette pomme offerte par le serpent fut son effet instantané sur le champignon tueur qui colonisait leurs voies respiratoires. À peine y eurent-ils planté les dents – Violette d'abord, puis Klaus, puis Prunille – que les chapeaux et les pieds de la fausse golmotte médusoïde commencèrent à se racornir, à se recroqueviller, se flétrir, et en quelques instants toute trace du champignon fatal s'élimina d'elle-même comme par enchantement et les enfants retrouvèrent une respiration normale. De surprise et de soulagement, ils commencèrent par s'embrasser, puis ils se mirent à rire sans pouvoir s'arrêter, réaction courante chez ceux qui viennent d'échapper de justesse à la mort. Et l'Incroyable vipère semblait rire, elle aussi, même si peut-être, en réalité, elle appréciait simplement de se faire grattouiller par Prunille entre ses ouïes microscopiques.

– Nous ferions bien de croquer chacun une pomme entière, décida Violette, se relevant. Pour être certains d'avoir absorbé assez d'antidote.

– Oui, dit Klaus, et dépêchons-nous de ramasser de ces pommes pour aller en porter aux autres. À l'heure qu'il est, ils doivent être en aussi triste état que nous voilà un instant.

– Plaute ! s'écria Prunille.

Elle alla se planter sous l'étagère à casseroles et l'Incroyable vipère, se dressant de toute sa hauteur, décrocha pour elle une grande marmite, capable de contenir un boisseau de pommes – marmite qui, d'ailleurs, avait derrière elle un long passé de marmelades en tous genres.

– Commencez à la remplir, vous deux, dit Violette. Je vous rejoins tout de suite, mais d'abord je jette un coup d'œil au périscope. Je veux voir ce que devient Kit. Sauf erreur, la grande marée commence à monter sur les grèves, Kit doit être terrorisée.

– J'espère qu'elle n'a pas respiré de spores, dit Klaus. Je préfère ne pas songer aux effets que ça pourrait produire sur son bébé.

– Prior ! déclara Prunille ; autrement dit, en gros : « C'est auprès d'elle qu'il faut aller en premier. »

– Sauf que les gens de l'île sont en plus grand danger encore, dit Klaus. Passons par la tente d'Ishmael, puisque c'est sur notre chemin, et ensuite nous foncerons au secours de Kit.

– La tente d'Ishmael, pas la peine, signala Violette qui fronçait les sourcils sur le périscope. Vite, remplissons cette marmite, et cap sur les grèves au bas des dunes !

– Comment ça ? dit Klaus.

– Ils lèvent le camp, répondit Violette. Venez voir.

Et j'ai le grand regret de confirmer l'information. Dans l'objectif du périscope, l'aînée des

Baudelaire distinguait la silhouette du canoë géant
et tout autour, telles des fourmis, les îliens qui
poussaient le bateau sur la grève, droit vers le
radeau de livres sur lequel était allongée Kit
Snicket.

À leur tour, ses cadets jetèrent un coup d'œil
dans les jumelles et les trois enfants se changèrent
en statues. Ils n'avaient pas une seconde à perdre,
pourtant, mais durant un instant ils restèrent les
bras ballants, comme s'ils renâclaient à reprendre
le cours de leur triste histoire et à mener jusqu'au
bout un désastreux épisode de plus.

Si vous avez lu jusqu'ici, sans rien sauter,
l'épopée Baudelaire – et j'espère vivement que tel
n'est pas le cas –, vous savez que vous venez d'entamer le treizième chapitre du treizième tome de
cette affligeante chronique et que, par conséquent,
la fin est proche – même si le présent chapitre
traîne tellement en longueur que peut-être vous
ne tiendrez pas jusqu'à la fin. Quoi qu'il en soit,
le moment est venu d'une mise au point sur ce
mot, « fin ».

« Fin » est le petit mot qui signale l'achèvement d'un récit ou l'accomplissement d'une tâche – mission confidentielle, investigation titanesque – et le fait est que ce treizième volume marque la fin de mon enquête sur l'affaire Baudelaire, enquête qui a exigé de moi une patience de bénédictin, des recherches tous azimuts, une foule de missions secrètes, sans parler d'héroïques contributions de nombre de mes camarades, depuis un conducteur de trolley jusqu'à un botaniste spécialiste de génie génétique et d'hybridation moléculaire, en passant par des dizaines et des dizaines de réparateurs de machines à écrire. Cependant, on ne peut pas dire que *La Fin* nous livre la fin de l'histoire des orphelins Baudelaire, pas plus que *Tout commence mal* n'en livrait le commencement. L'histoire de ces trois enfants avait débuté longtemps avant le terrible jour sur la plage de Malamer, mais il faudrait au moins un volume de plus pour remonter à leur naissance, et au mariage de leurs parents, et dire qui jouait du violon dans le restaurant où ces deux-là soupaient aux chandelles le soir où leurs regards se croisèrent pour la première fois, et ce qui était caché dans le violon, et quelle avait été l'enfance de l'homme qui avait rendu orpheline la fille qui avait glissé ce secret dans le violon, et même alors il serait erroné de situer là le vrai début de l'histoire des orphelins Baudelaire, parce qu'il faudrait encore parler de certaine réception – un thé, pour être précis – donnée naguère dans un grand appartement au dernier étage d'un immeuble, et du boulanger qui avait confectionné les scones servis à ce thé, et de l'assistant du boulanger qui avait introduit clandestinement certain ingrédient secret dans certain scone, avant cuisson, par le biais d'un tuyau étroit, et de la façon dont une ingénieuse personne avait créé l'illusion d'un incendie dans la cuisine en revêtant certaine robe et en bondissant en tous sens – et même alors le véritable début de l'histoire serait encore loin, à une distance dans le temps aussi considérable qu'entre le naufrage ayant jeté sur l'île les parents Baudelaire et ce matin de grande marée, jour de la Décision, où les îliens, sous nos yeux, s'apprêtent à prendre le large.

On pourrait dire, au bout du compte, qu'aucune histoire n'a jamais de commencement ni de fin, puisque toutes les histoires au monde s'enchevêtrent à l'infini, tel l'immense bric-à-brac entassé sous le pommier géant, tous les fragments, tous les lambeaux imbriqués pêle-mêle, de sorte que le début et la fin de chaque histoire sont entièrement affaire de point de vue. À la limite, on pourrait dire que le vaste monde se trouve toujours *in medias res* – expression latine signifiant : « au milieu des choses, au milieu de l'action, du récit » –, de sorte qu'il est impossible de découvrir jamais la véritable clé d'une énigme, l'authentique racine d'un problème, la source première d'une série d'ennuis. Si bien que *La Fin* est en réalité le milieu d'une histoire, puisque bon nombre des personnages cités auront encore une longue vie bien pleine à mener au-delà du chapitre treize, et c'est même le début d'une histoire, puisqu'un enfant va venir au monde vers la fin de ce même chapitre.

Mais le stationnement au milieu des choses n'est jamais autorisé. Le moment vient où il faut accepter que la fin est proche, et la fin de *La Fin* est en effet toute proche – et si j'étais vous je me garderais bien de lire la fin de *La Fin*, car on y voit la fin d'un scélérat notoire, mais aussi la fin d'un cœur généreux, et la fin du séjour des colons sur l'île, puisqu'ils vont prendre le large sitôt qu'ils auront atteint le bas de l'estran. La fin de *La Fin* contient toutes ces fins, c'est là un fait indéniable, nullement une affaire de point de vue. Et sans doute seriez-vous sage de mettre fin à votre lecture de *La Fin* avant d'en atteindre la fin, car les histoires qui commençaient dans *Tout commence mal* et qui prennent fin dans *La Fin* commencent à finir à partir d'ici.

Les trois enfants achevèrent en hâte d'emplir leur marmite de pommes, après quoi, du plus vite qu'ils purent, ils franchirent le sommet du morne pour regagner l'autre bout de l'île. Lorsqu'ils atteignirent la plage, il était midi passé ; les eaux montaient déjà bien plus haut qu'elles n'étaient jamais montées depuis leur arrivée en ce lieu. Ils s'avancèrent sur la grève en pataugeant, et bientôt

Violette et Klaus hissèrent la marmite sur leurs épaules, chacun la tenant par une anse, Prunille et l'Incroyable vipère juchées sur le chargement. Plus bas sur l'estran, le radeau de Kit flottait déjà, redevenu bateau, et à quelques coudées de lui dansait le canoë géant.

En s'approchant, les trois enfants constatèrent que les îliens avaient cessé de pousser leur embarcation vers le large et qu'ils commençaient de monter à bord, toussant à qui mieux mieux. À la proue, calé dans son siège d'argile, face à ses compatriotes intoxiqués, Ishmael regardait les enfants approcher.

– Arrêtez ! cria Violette sitôt qu'ils furent à portée de voix. Nous avons un remède ! L'antidote au poison !

– Enfants Baudelaire ? répondit la voix de Kit, très faible, du haut de son radeau de livres. Grâce au ciel, vous voilà enfin ! Je crois que je commence… je crois que je suis en travail !

« Travail », vous le savez sans doute, est un mot qui recouvre des quantités de sens et désigne notamment le processus par lequel une femme met un enfant au monde, tâche herculéenne entre toutes, expression signifiant ici : « activité à laquelle vous aimeriez mieux ne pas vous livrer sur un radeau de livres flottant au milieu d'une plate-forme littorale un jour de très grande marée ». Du haut de son perchoir de pommes, Prunille vit Kit se tenir le ventre et lui adresser un petit sourire grimacé.

– Nous venons à vous tout de suite, promit Violette. Dès que nous aurons donné ces pommes aux îliens.

– Ils n'y toucheront pas ! prévint Kit. J'ai essayé de les persuader d'aller en chercher eux-mêmes pour se désintoxiquer d'urgence, mais ils n'ont qu'une idée : partir !

– Personne ne les y force, dit Ishmael, très calme. J'ai seulement suggéré que cette île n'était plus un lieu sûr, et que nous devions nous mettre en quête d'un autre.

– C'est vous, madame, qui nous avez apporté cette malédiction, accusa Mr Pitcairn d'une voix ensommolée, rendue pâteuse par le champignon et par le cordial de coco. Vous et les enfants Baudelaire. Mais Ishmael va nous tirer de là.

– Jusqu'ici, cette île était un havre de paix, renchérit le professeur Fletcher. À l'écart des perfidies du monde. Mais depuis votre arrivée, tout est devenu dangereux et compliqué.

– Nous n'y sommes pour rien, plaida Klaus, se rapprochant du grand canoë, de l'eau jusqu'aux aisselles. La vérité, c'est que ça n'existe pas de vivre à l'abri des perfidies du monde. Même ici, tôt ou tard, la mer finit par les rejeter sur la côte.

– C'est bien ça, dit Alonso en bâillant. La mer vous a rejetés et notre île est polluée à jamais.

– Oui, dit Ariel entre deux quintes de toux, 'pouvez vous la garder, cette île. Nous, nous changeons d'auberge. C'est notre seule chance de survie.

– Survie ici ! cria Prunille, brandissant une pomme.

– Vous ne nous avez pas assez empoisonnés, peut-être ? siffla la vieille Erewhon, et les autres opinèrent du chef. Assez de vos perfidies !

– Mais vous étiez prête à vous mutiner, lui rappela Violette. Vous ne vouliez plus des suggestions d'Ishmael.

– C'était avant votre satané champignon, répliqua Finn d'une voix rauque. Ishmael est le plus ancien de nous tous. Il sait mieux que nous comment nous protéger. À sa suggestion, nous avons bu un bon coup de cordial, tandis qu'il recherchait la racine du mal. Et la racine du mal, c'est vous, les Baudelaire.

Les enfants venaient de rejoindre le canoë. Ils firent appel à Ishmael qui les regardait, imprénétrable.

– Mais pourquoi tout ça ? demanda Klaus, se retenant de dire : « À quoi jouez-vous ? ». Nous ne sommes pas la racine du mal et vous le savez bien.

– In medias res ! pépia Prunille.

– Prunille a raison, dit Violette : la médusoïde, elle rôdait déjà avant notre naissance. Et, pour le cas où elle serait arrivée ici, nos parents avaient introduit les bienfaits du raifort dans la sève du grand pommier.

– Si vous ne mangez pas de ces pommes amères, plaida Klaus, vous courez tous à votre fin. Dites-le-leur, Ishmael, dites-leur tout, toute l'histoire ! Qu'au moins ils puissent se tirer d'affaire.

– Toute l'histoire ? répondit Ishmael, et il se pencha vers les enfants, baissant la voix. Leur raconter toute l'histoire, ce serait renoncer à les protéger du monde et de ses monstrueux secrets. L'histoire, ils ont presque failli l'apprendre ce matin même, et vous avez vu le résultat ? S'ils connaissaient tous les secrets de l'île, nous aurions un schisme en un rien de temps.

– Mieux vaut un schisme que la mort, dit Violette.

Mais Ishmael hocha la tête et déclara, lissant posément sa barbe laineuse :

– Personne ne va mourir. Ce canoë bien pro-filé va nous mener sur une plage à cent pas de la route des Pouillasses, et nous n'aurons plus qu'à gagner un endroit que je connais, tout près de là, où on traite le raifort en gros.

– C'est bien trop loin, objecta Klaus. Jamais vous n'arriverez à temps.

– Parions que si, soutint Ishmael. Même sans boussole, je crois que je peux nous mener à bon port.

– C'est une boussole morale qu'il vous faudrait, oui ! se rebiffa Violette. Ces spores sont capables de tuer en l'espace d'une heure, mettons deux. Toute la colonie est menacée. De plus, à supposer que vous touchiez la terre ferme, vous risquez de transmettre le mal à ceux que vous croiserez en chemin. Vous appelez ça « protéger » ? Vous mettez en danger le monde entier, oui ! La seule chose que vous protégez, ce sont vos petits secrets. Drôle de façon de prendre soin des autres ! Moi, je dis : c'est monstrueux !

– Affaire de point de vue, trancha Ishmael. Adieu, enfants Baudelaire.

Il se rassit bien droit, se cala dans son siège et lança aux îliens qui lui faisaient face, toussant et sifflant comme un club d'asthmatiques :

– Je suggère que vous commenciez à ramer.

Alors les colons, plongeant les bras dans l'eau, se mirent à pagayer comme ils purent, et le canoë bien profilé s'ébranla doucement. Éperdus, les enfants Baudelaire s'agrippèrent au plat-bord et tentèrent d'en appeler à celle qui, la première, les avait accueillis sur la grève.

– Vendredi ! cria Prunille. Prends pomme !

– Résiste à la pression des pairs ! supplia Violette.

Vendredi se tourna vers les enfants, son petit visage ravagé de frayeur. Klaus lui tendit une pomme, et la petite se pencha par-dessus bord pour lui effleurer la main.

– J'ai le cœur gros de vous quitter, vous trois, dit-elle, mais je dois suivre les miens. J'ai déjà perdu mon père, je ne voudrais pas…

– Ton père ? commença Klaus. Mais il…

Mrs Caliban le fit taire du regard, et elle détacha sa fille du plat-bord.

– Ne secoue pas la barque, veux-tu ? dit-elle. Tiens, prends plutôt un peu de cordial.

– Ta mère a raison, Vendredi, déclara Ishmael. Tu dois respecter le souhait de tes parents. Ce que ces Baudelaire n'ont jamais su faire.

– Au contraire ! s'insurgea Violette, levant plus haut encore la marmite de pommes. Nous respectons le souhait de nos parents ! En réalité, ils ne voulaient pas nous tenir à l'écart des perfidies du monde ; ils voulaient que nous apprenions à en réchapper.

Ishmael posa une main sur le flanc de la marmite.

– Ha ! ricana-t-il. En réchapper ! Parce que vos parents étaient experts en survie, peut-être ?

Et d'un geste cruel le vieil orphelin repoussa le récipient, écartant du même coup le canoë hors de portée des enfants. Violette et Klaus tentèrent un pas de plus, mais l'eau était trop haute, ils perdirent pied et se retrouvèrent en train de nager. La marmite bascula et Prunille, avec un petit cri, se réfugia sur les épaules de sa sœur tandis que sept ou huit pommes sautaient à l'eau avec de joyeux petits *plouf !* Ce bruit rappela aux enfants le trognon qui avait échappé à Ishmael, la veille, et ils comprirent soudain pourquoi le vieil homme restait de marbre face à la médusoïde, et pourquoi seule sa voix n'était pas encrassée par la prolifération champignonneuse.

– Rattrapons-les ! s'écria Violette. Sans pommes, ils sont perdus !

– Les rattraper, comment veux-tu ? dit Klaus qui tenait toujours la pomme destinée à Vendredi. Et il faut porter secours à Kit, aussi.

– Scinde ? suggéra Prunille, les yeux sur le canoë qui s'éloignait.

– Non, dit Klaus. Pour aider Kit, nous n'allons pas être trop de nous trois, je pense.

Mais lui aussi suivait des yeux le long bateau de bois et d'herbes qui filait vers l'horizon, emportant sa cargaison de quintes de toux et de respirations sibilantes.

– Ils ont pris leur décision, murmura-t-il pour finir.

– Kontiki, dit Prunille d'une petite voix étranglée.

Ce qui signifiait, en gros, « ils n'ont aucune chance d'en réchapper », mais je dois dire qu'en l'occurrence la benjamine des Baudelaire se trompait. Il leur restait bel et bien une chance, une toute dernière chance sous forme de pomme, une unique pomme à se partager – chacun une minuscule bouchée –, et ce fruit amer aux effets puissants avait de quoi leur permettre de tenir en attendant mieux. Oui, il leur restait une chance d'être sauvés par une pomme, tout comme les trois enfants eux-mêmes venaient de l'être, grâce à leurs parents – sauvés du pire désastre jamais apporté sur cette île par la mer. Mais à l'évidence, pour donner cette pomme aux îliens, il fallait être capable de nager très vite, capable de rattraper le canoë bien profilé, et capable aussi d'agir en toute discrétion afin d'échapper au regard d'aigle du facilitateur.

Les enfants Baudelaire, trop occupés à secourir Kit, ne remarquèrent pas immédiatement la disparition de l'Incroyable vipère, de sorte qu'ils ne surent jamais au juste ce qu'il était advenu du reptile, et mes enquêtes à ce sujet sont demeurées incomplètes, si bien que j'ignore quels nouveaux chapitres vinrent s'ajouter à son histoire et comment Encre, comme certains préfèrent nommer cette surprenante créature, poursuivit son chemin sinueux à travers le vaste monde, tantôt se préservant des perfidies, tantôt en commettant de son cru – histoire qui n'est pas sans rappeler celle des orphelins eux-mêmes, dans laquelle certains ont vu, à échelle réduite, un registre des crimes, des folies et des malheurs de l'humanité.

Quoi qu'il en soit, pour ce qui est des îliens, libre à vous d'enquêter sur leur sort, mais pour ma part je ne saurais dire ce qu'il advint d'eux après qu'ils eurent quitté cette île qui avait été leur terre d'attache. Encore une fois, il n'est pas exclu qu'ils aient survécu à leur expédition grâce à cette dernière chance reptilienne, scénario qui peut sembler invraisemblable mais ne l'est pas plus, tout bien pesé, que trois enfants aidant une femme à donner la vie.

Klaus et Violette, reprenant pied, se hâtèrent jusqu'au radeau de livres où ils hissèrent Prunille et marmite, avec ce qu'il restait de pommes, auprès de Kit Snicket dont la respiration s'était faite haletante. Alors la benjamine prit la main de

la jeune femme et, tandis que ses aînés se char-
geaient de pousser le radeau vers la terre ferme,
elle lui proposa d'une voix douce :

– Crocpomme ?

Mais Kit fit rouler sa tête de droite et de gauche
et murmura :

– Pas pour moi...

– Mais vous avez été intoxiquée, vous aussi, dit
Violette. Vous avez respiré une spore ou deux, for-
cément, quand les îliens sont passés si près.

– Ce serait mauvais pour le bébé, expliqua Kit.
Il y a quelque chose, dans ces pommes amères,
qui est toxique pour les enfants à naître. Votre
mère n'y avait jamais touché, d'ailleurs. Parce
qu'elle t'attendait, en ce temps-là, Violette. (D'une
main, par-dessus le bord du radeau, elle effleura
les cheveux de l'aînée des Baudelaire.) J'espère
être aussi bonne mère qu'elle, tu sais. Même à
moitié aussi bonne, ce serait bien.

– Oh ! mais vous le serez, dit Klaus.

– Je n'en suis pas certaine, murmura Kit. J'étais
censée veiller sur vous, l'autre jour, quand vous

avez enfin refait surface sur la plage de Malamer. J'aurais voulu, de toutes mes forces, vous conduire en lieu sûr avec mon taxi. Au lieu de quoi je vous ai jetés au cœur d'un tourbillon de perfidies, à l'hôtel Dénouement. Et j'aurais voulu, de toutes mes forces, vous ramener vos amis Beauxdraps. Au lieu de quoi je les ai perdus de vue.

Elle eut un long soupir sifflant et se tut.

Comme elle poussait le radeau vers l'île, Violette avisa soudain le titre au dos d'un ouvrage qu'elle avait sous le nez, *Ivan Chaudelarmes, explorateur*, et elle se souvint : c'était l'un de ceux que leur tante Agrippine avait tenus cachés sous son lit. Puis elle nota que son frère avait sous le nez *Secrets intimes des champignons*, fleuron de la bibliothèque de Fiona, la jeune mycologue du *Queequeg*.

– Que s'est-il passé ? dit-elle à mi-voix, un peu pour elle-même, s'efforçant d'imaginer par quelles coïncidences ces livres pouvaient se trouver là.

– J'ai failli à ma mission, répondit Kit d'une voix triste, et elle fut prise d'une longue quinte de toux. Quigley était parvenu à rejoindre la maison volante d'Hector, comme je l'avais espéré, et à eux quatre, Quigley, Hector, Isadora et Duncan, ils avaient réussi à capturer ces vilains aigles dans un immense filet. Et moi, pendant ce temps, j'étais allée retrouver le capitaine Virlevent et ses beaux-enfants.

– Fernald et Fiona ? demanda Klaus, revoyant en pensée, côte à côte, l'homme aux crochets qui avait naguère été le bras droit d'Olaf et la jeune demoiselle qui lui avait brisé le cœur. Avec le capitaine ? Mais… ils l'ont trahis, tous les deux ! Et nous aussi, d'ailleurs, ils nous ont trahis.

– Le capitaine leur avait pardonné leurs manquements, dit Kit, comme vous me pardonnerez les miens, je l'espère, enfants Baudelaire… À nous quatre, nous nous sommes démenés pour rafistoler le *Queequeg* afin de rejoindre les Beauxdraps dans leur bataille aérienne, et nous sommes arrivés juste à temps pour voir les ballons de l'engin volant éclater, percés par le bec d'aigles échappés du filet. Tout est tombé en chute libre, engin, contenu, passagers – droit sur le *Queequeg*, qui n'a pas résisté au choc. L'instant d'après, nous étions tous naufragés au milieu d'une marée de débris flottants. (Elle se tut un instant.) Pauvre Fiona, elle tenait tant à te revoir, Klaus ! Elle tenait tant à ce que tu lui pardonnes, toi aussi !

– Est-ce que… (Klaus n'eut pas le courage d'achever sa phrase.) Et ensuite ?

– Ensuite, je n'en sais trop rien, avoua Kit. Des profondeurs de la mer, une forme étrange est remontée, un peu comme un point d'interrogation, elle a surgi de l'eau…

– Nous l'avons vue un jour sur un écran radar, dit Violette. Le capitaine Virlevent n'a pas voulu nous dire ce que c'était.

– Mon frère l'appelait le « Grand Inconnu », dit Kit, tenant à deux mains son ventre pris d'un soubresaut. J'étais terrorisée. Vite, j'ai confectionné un Vaporetto de Débris Choisis, comme on m'a entraînée à le faire…

– Vaporetto ? demanda Prunille.

– En italien, c'est un bateau, expliqua Kit. C'était l'un de nombreux mots italiens que m'avait appris Monty. Le Vaporetto de Débris Choisis, c'est une façon, lors d'un désastre, de se sauver soi-même en même temps qu'un certain nombre de choses auxquelles on tient. Avant que tout n'achève de couler, j'ai rassemblé à la va-vite les bouquins à ma portée – ceux que j'aimais bien ; les barbants, je les ai jetés à la mer –, j'ai ficelé le tout en radeau et puis j'ai supplié les autres de me rejoindre là-dessus. Mais… je ne sais pas, soit ils voulaient tenter leur chance avec le Grand Inconnu, soit… En tout cas, j'ai appelé, appelé, le Grand Inconnu approchait, mais seule Ink est venue me rejoindre. Les autres…

De nouveau elle se tut. Les enfants n'entendaient plus que sa respiration bruyante. Puis elle reprit enfin :

– Tout s'est passé très vite. En l'espace d'un instant, ils avaient disparu. Avalés ou secourus par cette chose indescriptible.

– Et donc vous ne savez pas ce qui a pu leur arriver ?

– Non. Je n'en sais rien. Tout ce que j'ai entendu, c'est l'un des triplés Beauxdraps appeler Violette.

Prunille se pencha sur la jeune femme en détresse.

– Quigley ? demanda-t-elle doucement. Duncan ?

– Je n'en sais rien, répéta Kit. Je ne sais rien de plus. Je suis désolée, enfants Baudelaire. J'ai échoué. Je n'ai pas été à la hauteur de vos attentes. Vous, vous avez mené à bien vos nobles missions à l'hôtel Dénouement, vous avez sauvé Dewey et les autres, mais moi, je ne peux même pas vous dire si nous reverrons un jour les jeunes Beauxdraps et leurs compagnons. Oh ! j'espère que vous voudrez bien me pardonner. Et, quand je reverrai Dewey, j'espère qu'il me pardonnera, lui aussi.

Les enfants Baudelaire, atterrés, se consultèrent du regard en silence. L'heure était venue, ils le voyaient bien, de raconter à Kit toute l'histoire, comme elle venait de le faire pour eux.

– Nous vous pardonnons, dit Violette. Comme vous allez devoir nous pardonner…

– Nous aussi, nous avons échoué, dit Klaus. Nous non plus, nous n'avons pas été à la hauteur.

Nous avons été obligés de mettre le feu à l'hôtel Dénouement, et nous ne savons pas si tout le monde a pu s'échapper à temps...

Prunille serra la main de Kit dans les siennes.

– Et Dewey mort, dit-elle d'une très petite voix.

Et tous éclatèrent en sanglots.

Il est une façon de pleurer dont, j'espère, vous n'avez pas l'expérience, et qui va bien plus loin que pleurer pour quelque chose de terrible qui vient d'arriver, parce qu'elle revient en fait à pleurer pour tout ce qui a pu arriver de terrible, non pas seulement à soi mais à tous ceux qu'on connaît, et même à ceux qu'on ne connaît pas, et même à ceux qu'on ne tient pas à connaître ; et lorsque vous pleurez de cette façon, rien ne peut vous soulager, il n'est pas d'antidote, ni promesse, ni mot doux, sauf peut-être quelqu'un qui vous étreint tandis que vos épaules tressautent et que les larmes coulent sur vos joues. Prunille étreignait Kit, Violette étreignait Klaus, et durant un moment les quatre naufragés ne firent que sangloter, laissant leurs larmes couler à leur guise et se joindre à la mer, dont certains assurent qu'elle n'est autre qu'un grand registre de toutes les larmes versées depuis le commencement des temps. Kit et les trois enfants laissèrent leur chagrin se joindre au chagrin, pleurant pour tous ceux qu'ils avaient perdus. Ils pleurèrent pour Dewey Dénouement et pour les triplés Beauxdraps, et pour tous leurs compagnons de route et tuteurs, amis et camarades, ils pleurèrent pour tous les manquements, tous les échecs pardonnés, pour toutes les fourberies, les trahisons subies. Ils pleurèrent pour le monde et, surtout, en ce qui concerne les enfants Baudelaire, ils pleurèrent pour leurs parents dont ils comprenaient enfin qu'ils ne les reverraient plus. Certes, Kit Snicket ne leur avait apporté aucune nouvelle d'eux, mais ce qu'elle venait de dire du Grand Inconnu leur donnait à penser que la plupart de ceux dont les écritures se succédaient dans *Une série de désastreuses aventures* avaient eu affaire à cet inconnu-là et qu'eux trois, à leur tour, étaient presque sûrement orphelins pour toujours.

– Arrêtez... là... souffla Kit pour finir, dans un hoquet de pleurs. Arrêtez de pousser ce radeau. Je ne... je ne peux pas aller plus loin.

– Il le faut pourtant, dit Violette.

– Nous sommes presque arrivés à la plage, dit Klaus.

– Marée monte, dit Prunille.

– Tant pis. Qu'elle monte. Je ne peux plus, enfants Baudelaire. Plus continuer. Et à quoi bon ? J'ai perdu trop des miens. Mes parents. L'homme que j'aimais. Mes frères.

À cette mention, « mes frères », la mémoire revint à Violette et elle tira vivement de sa poche l'anneau délicatement orné, marqué d'un R stylisé.

– Parfois, dit-elle, ce qu'on a perdu réapparaît où on ne l'attendait pas.

Et elle leva bien haut le bijou pour le montrer à Kit. La jeune femme en détresse retira ses gants et prit l'anneau dans ses mains tremblantes.

– Ceci n'est pas à moi, murmura-t-elle. Cet anneau appartenait à votre mère.

– Mais avant de lui appartenir, dit Klaus, il vous appartenait à vous.

– Oh ! dit Kit, son histoire avait commencé bien avant ma naissance, et il faut qu'elle se poursuive après nous. Vous la donnerez à mon enfant, voulez-vous ? Que mon enfant fasse partie de mon histoire, même s'il doit être orphelin, seul au monde.

– Seul au monde ? Sûrement pas ! se récria Violette, farouche. Si vous mourez, Kit, nous l'élèverons, nous. Comme s'il était le nôtre.

– Je ne pourrais demander mieux, murmura Kit très doucement. Donnez-lui le nom de l'un de vos parents, enfants Baudelaire. Dans ma famille, la coutume veut qu'un enfant reçoive le nom de quelqu'un qui est mort.

– Pareil, dit Prunille, se souvenant d'une chose que son père lui avait dite à l'oreille, quand elle était tout bébé.

– Nos deux familles ont toujours été proches, reprit Kit, malgré tout ce qui les séparait… Et à présent nous voici réunis, comme au sein d'une même famille.

– Alors laissez aider, dit Prunille.

Avec un petit sanglot sifflant, Kit Snicket acquiesça, et les aînés Baudelaire achevèrent de pousser le radeau jusqu'à la plage au bas des dunes. Là, ils se retournèrent – à l'instant même où le grand canoë, là-bas, se faisait happer par l'horizon. Une seconde ou deux, les trois enfants regardèrent disparaître ceux qu'ils devaient ne plus jamais revoir – du moins, pour autant que je sache –, puis ils se tournèrent vers le radeau de livres et l'épineuse priorité : comment transférer une femme blessée, enceinte et en détresse en un lieu sûr où donner le jour à son enfant.

– Pensez-vous pouvoir descendre seule ? demanda Violette.

– Non… souffla Kit, la voix pâteuse. Trop mal…

– On devrait pouvoir la transporter, nous, suggéra Klaus à son aînée.

– Non, répéta Kit plus bas encore. Trop lourde. Je risquerais… de vous échapper des mains… Trop dangereux pour le bébé.

– Nous allons bricoler quelque chose pour vous transporter jusqu'à la dune, décida Violette.

– Oui, dit Klaus. Courons chercher ce qu'il nous faut.

– Pas le temps, dit Prunille. Urge.

Et Kit acquiesça.

– Le bébé... arrive... Vite... (Elle haletait.) Allez chercher... de l'aide.

– Il n'y a plus que nous, ici, dit Violette.

Mais à cet instant précis, levant les yeux vers la dune, les enfants virent se traîner lentement, hors de la tente d'Ishmael, la seule et unique personne pour laquelle ils n'avaient pas songé à verser une larme.

Vive comme un écureuil, Prunille se laissa glisser à bas du radeau et les trois enfants, emportant les pommes, gravirent en hâte la pente sablonneuse vers la silhouette agenouillée du comte Olaf.

– Hello, orphelins, les salua-t-il, la voix plus éraillée que jamais sous l'effet du champignon tueur.

La robe d'Esmé avait dû tomber de sa carcasse maigre et ses vêtements, par-dessous, étaient tout enfarinés de sable. Il rampait sur les genoux, un coquillage de cordial dans une main, l'autre main plaquée sur sa poitrine.

Il prit son souffle tant bien que mal et articula :

– Alors ? On vient se prosterner devant le roi d'Olaffia ?

– Trêve de sottises, coupa Violette, le temps est compté. Nous avons besoin de votre aide.

Il leva son sourcil unique et regarda les trois enfants, estomaqué.

– Vous ? Me demander de l'aide à moi ? Et où sont donc passés ces ahuris en blanc ?

– Partis, dit Klaus.

Olaf laissa échapper un affreux sifflement, et les enfants mirent plusieurs secondes à comprendre qu'il riait.

– Elle est trop bonne ! dit-il enfin entre deux hoquets. Je le disais bien, que c'étaient des pommes à l'eau !

Traiter quelqu'un de « pomme à l'eau », « pauvre pomme » ou même « pomme » tout court, c'est en gros le traiter de « patate ». Mais Prunille n'en savait rien et elle se méprit sur le sens du mot.

– Pomme, dit-elle au comte, montrant la marmite. Si aidez.

– Pas envie de fruits, grogna Olaf et, au prix d'un gros effort, il s'assit. Tout ce qui m'intéresse, c'est votre héritage.

– Notre héritage ? lui dit Violette. Il est loin ! Et, si ça se trouve, ni vous ni nous n'en verrons jamais le premier sou.

– Même s'il était là, dit Klaus, on ne voit pas très bien ce que vous en feriez.

– McGuffin, compléta Prunille ; autrement dit : « Vos manigances, ici, c'est du pipi de moineau. »

Le comte porta le coquillage à ses lèvres, et les enfants virent qu'il tremblait.

– De toute manière, dit-il soudain d'une voix rauque, j'arrête tout. Plus envie de continuer. À quoi bon ? Trop perdu. Mes parents. Celle que j'aimais. Mes hommes de main. Une énorme fortune que je n'ai pas gagnée. Et jusqu'au bateau à mon nom.

Les trois enfants ne soufflèrent mot. Ils songeaient à cet instant où, sur le bateau, ils avaient
été tentés de le pousser à l'eau. Si cette crapule
s'était noyée en mer, alors peut-être jamais le
champignon tueur n'aurait-il frappé l'île ; d'un
autre côté, peut-être aussi serait-il arrivé là par ses
propres moyens. Et Olaf encore en vie représentait la dernière chance de secourir Kit et l'enfant
à naître.

Violette s'agenouilla dans le sable et posa les
mains sur les épaules du malfrat.

– Continuer, dit-elle, il le faut. Pour une fois,
Olaf, faites quelque chose de bien. Une fois dans
votre vie.

– Quelque chose de bien ? J'ai fait des tas de
choses très bien dans ma vie. Je vous ai recueillis,
vous trois. Et j'ai été nominé plusieurs fois pour
de prestigieuses récompenses théâtrales.

Klaus s'agenouilla à côté de sa sœur et regarda
le comte dans les yeux.

– C'est vous qui nous avez faits orphelins, pour
commencer, dit-il, énonçant tout haut pour la

première fois ce que les trois enfants avaient gardé enfoui en eux si longtemps.

Olaf ferma les paupières un moment avec une grimace de douleur, puis il les rouvrit et, lentement, considéra tour à tour chacun des jeunes Baudelaire.

– Vous le croyez vraiment ? dit-il pour finir.

– Savons, dit Prunille.

– Vous ne savez rien du tout, reprit-il sans élever le ton. Ah ! vous n'avez pas changé, vous trois, depuis la première fois que j'ai posé les yeux sur vous. Vous vous imaginez que pour triompher en ce monde il suffit d'un esprit ingénieux, d'une pile de bouquins, d'un repas fin de temps à autre. (Renversant la tête en arrière, il déversa la dernière gorgée de cordial dans son gosier encrassé, puis il rejeta le coquillage dans le sable.) Vous êtes bien comme vos parents, allez !

À cet instant, au bas de la plage, s'éleva un long gémissement.

– Il faut que vous aidiez Kit, répéta Violette. Son bébé arrive.

– Kit ? glapit le comte.

D'un seul et même geste, il saisit une pomme dans la marmite et la porta à sa bouche pour y planter les dents. Grimaçant de douleur, il se mit à mastiquer avec fureur et, en trente secondes, sa respiration se fit moins sifflante, le champignon terrassé net par la substance active que les parents Baudelaire avaient introduite dans ces fruits, des années plus tôt. Il croqua une deuxième bouchée, une troisième et sans prévenir, avec un odieux grognement, le scélérat se redressa sur ses pieds. Alors les enfants découvrirent que, sur le devant, sa chemise s'étoilait de sang.

– Vous êtes blessé, dit Klaus.

– Pas la première fois de ma vie, répondit le comte Olaf.

Et, chancelant sur ses longues jambes, il descendit la pente sableuse puis s'avança dans l'eau. En douceur, il souleva Kit du haut de son radeau et la transporta jusqu'à la dune. Les yeux de la jeune femme en détresse étaient clos, et les enfants Baudelaire, se hâtant vers elle, ne furent certains qu'elle était vivante que lorsque Olaf, avec précaution, la déposa sur le tapis d'herbe fine et de sable blanc, et qu'ils virent sa poitrine s'élever et s'abaisser doucement. Le scélérat contempla Kit un moment, puis il se pencha vers elle et fit quelque chose d'étrange. Sous les yeux des trois enfants muets, il déposa un baiser furtif sur la bouche tremblante de Kit Snicket.

– Je te l'avais dit, murmura-t-il très bas. Je te l'avais dit, que je ferais cela encore une fois.

– Tu es un sans-cœur, murmura Kit. Crois-tu qu'il suffise d'un seul geste bon pour te faire pardonner toutes tes traîtrises ?

Il s'écarta de trois pas chancelants, se rassit dans le sable et poussa un long soupir.

– Jamais demandé qu'on me pardonne, dit-il enfin, regardant d'abord Kit, puis les trois enfants.

Alors Kit tendit le bras et lui effleura la cheville, droit sur ce tatouage d'un œil qui n'avait cessé de hanter les enfants depuis la première fois qu'ils l'avaient vu. Tous trois posèrent les yeux sur ce motif, récapitulant en pensée le nombre de fois où il avait été délibérément camouflé et celui où il s'était trouvé à découvert, sans parler des autres endroits où ils avaient vu le même œil, car, si l'on y regardait bien, les initiales V., D., C. se cachaient dans ce tracé. Et plus les enfants avaient enquêté sur la mystérieuse organisation – qui réunissait apparemment des volontaires pour la défense de la communauté, d'abord contre le feu au sens propre, puis contre toutes sortes d'embrasements au figuré, et qui exigeait d'eux vigilance, droiture, courage –, plus il leur avait semblé que ces yeux étaient braqués sur eux trois, quoique sans jamais pouvoir dire, pas même à cet instant, si ce regard fixe était bienveillant ou hostile, animé de nobles intentions ou de noirs desseins. Et, bien qu'ayant tenté eux-mêmes, gauchement, de prendre part à d'héroïques missions, les trois enfants soupçonnaient à présent que le mystère de ces yeux leur échapperait à jamais.

– « La nuit a des milliers d'yeux », dit soudain Kit dans un murmure rauque, la tête tournée vers le scélérat (et, à la façon dont elle prononçait ces mots, les enfants comprirent qu'elle citait ceux de quelqu'un d'autre), « le jour n'en a qu'un ; et cependant l'éclat du monde s'éteint quand meurt le soleil. L'esprit a des milliers d'yeux, le cœur n'en a qu'un ; et cependant l'éclat de vie s'éteint quand l'amour n'est plus. »

Le comte Olaf lui dédia un pâle sourire.

– Tu n'es pas la seule, dit-il, à pouvoir réciter les mots de nos confrères.

Et son regard se perdit vers la mer, où le jour en déclin combattait vaillamment dans l'après-midi finissant.

– « L'homme ne peut léguer à l'homme que la peine », reprit-il à mots lents, « En pente à perdre pied, inexorable estran. Sors dès que tu pourras… »

Il fut pris d'une quinte de toux, terrible râle, les mains crispées sur sa poitrine. Puis il acheva d'un trait :

– « Et n'aie jamais d'enfant. »

Il eut un rire strident, presque un jappement – et son histoire s'arrêta là, à la renverse sur le sable, loin des perfidies du monde.

Les trois enfants, debout, cloués, contemplèrent son visage en silence. Ses yeux luisaient d'un
étrange éclat, sa bouche était ouverte comme pour
dire quelque chose ; mais plus jamais les jeunes
Baudelaire n'entendirent la voix du comte Olaf.

Kit jeta un cri de douleur épaissi par le champignon, ses mains se tordant sur son ventre qui se
soulevait par saccades, et les enfants se ruèrent
auprès d'elle. Ils ne virent même pas le comte Olaf
fermer les yeux pour la dernière fois – et peut-être
feriez-vous mieux de fermer les yeux, vous aussi,
moins pour éviter de lire la fin de l'histoire des
enfants Baudelaire que pour imaginer le début
d'une histoire neuve.

Selon toute probabilité, à la minute où vous êtes
né, vous aviez les yeux fermés, de sorte que vous
avez quitté le lieu sûr du ventre maternel – ou, si
vous êtes hippocampe, le lieu sûr du sac ventral
paternel – pour rejoindre le monde et ses perfidies sans voir exactement où vous alliez. Vous ne
connaissiez pas les personnes qui étaient là pour
vous aider à accomplir ce grand saut, ni celles qui

s'apprêtaient à prendre soin de vous durant vos débuts dans la vie, en ce temps où vous étiez plus petit, plus fragile et plus exigeant encore qu'aujourd'hui. Sans doute vous semble-t-il étrange de vous être ainsi abandonné aux mains de parfaits étrangers, n'ouvrant les yeux que très prudemment pour voir ce qui causait tant d'agitation, et pourtant c'est ainsi qu'à peu près chacun de nous vient au monde. Peut-être que si nous savions ce qui nous attend, si nous jetions d'avance ne serait-ce qu'un coup d'œil aux crimes, aux folies, aux malheurs qui nous guettent, nous déciderions tous de rester au creux du ventre maternel, si bien que pour finir il n'y aurait plus au monde qu'une foule de femmes très rondes, très lourdes et de très méchante humeur. Quoi qu'il en soit, c'est ainsi que débute l'histoire pour chacun d'entre nous : dans l'obscurité, les yeux clos, exactement comme elle s'achève, au fond, ou à peu de choses près, chacun marmottant ses dernières paroles – ou à la rigueur celles de quelqu'un d'autre – avant de glisser de nouveau dans l'ombre, mettant fin à sa propre série de désastreux événements. Et c'est ainsi, avec le début du chemin pour le bébé de Kit Snicket, que nous touchons quant à nous à la fin des *Désastreuses Aventures*.

Durant un long, trop long moment, l'accouchement fut très difficile, et il sembla aux enfants que les choses se déroulaient de façon aberrante – expression signifiant ici : « tout de travers, très douloureusement et sans aucune avancée visible ». Mais pour finir le monde vit venir une toute petite fille, le portrait craché de sa mère, il me serre le cœur de le dire, tandis que ma sœur quittait ce même monde après une longue nuit de souffrances – et cependant une nuit de joie, car la naissance d'un enfant est toujours une joie, quelles que soient les tristes nouvelles que cet enfant apprendra plus tard.

Le soleil se leva sur les grèves, d'où la mer s'était retirée pour ne plus monter aussi haut avant une année entière, et les orphelins Baudelaire, tous trois blottis sur le rivage, tinrent ce bébé dans leurs bras et regardèrent ses yeux s'ouvrir pour la première fois. Le petit bout de fille de Kit Snicket battit des paupières dans le soleil levant et tenta de se figurer où diantre elle pouvait être, puis, ne trouvant pas la réponse, elle résolut de se mettre à pleurer. Peu après, la toute-petite, prénommée en souvenir de la mère des enfants Baudelaire, hurlait à pleins poumons et, tandis que commençaient ses propres désastreuses aventures, l'histoire des orphelins Baudelaire prit fin.

Entendons-nous ; les trois enfants ne moururent pas ce jour-là. Ils avaient beaucoup trop à faire. Bien qu'encore enfants eux-mêmes, ils étaient parents à présent, et ce n'était pas l'ouvrage qui manquait. Violette s'affaira à concevoir et fabriquer tout l'attirail qu'exige l'arrivée d'un bébé – et, si vous êtes parent ou aîné, vous mesurez l'ampleur de la tâche, mais par bonheur, sous le pommier géant, les matériaux abondaient. Klaus explora les rayonnages de l'immense bibliothèque, à la recherche d'ouvrages savants sur l'art d'élever un enfant, et il prit soin de noter au jour le jour les progrès du nourrisson. Prunille se fit bergère de moutons sauvages et apprit à traire les brebis afin de nourrir le bébé, puis elle se servit de son fouet pour lui préparer des purées lorsque, avec ses premières dents, il fallut diversifier son alimentation. Et tous trois semèrent des pépins de pommes amères un peu partout sur l'île, par mesure de précaution contre la fausse golmotte médusoïde. Même si le champignon tueur, ils s'en souvenaient, était censé affectionner les lieux confinés, ils voulaient être bien certains de l'éradiquer de l'île, afin d'en faire pour la toute-petite un havre aussi sûr qu'avant le désastre.

Ces tâches les accaparaient tout le jour, puis, le soir venu, tandis que la petite apprenait à dormir, les trois enfants prenaient place dans les deux grands fauteuils de lecture et, tour à tour, les aînés Baudelaire lisaient à voix haute de longues pages du journal de bord que leurs parents avaient laissé – non sans ajouter parfois quelques lignes de leur propre histoire sur les pages blanches en fin de volume. Tout en lisant et en écrivant, les enfants découvraient souvent la réponse à quelque question longtemps demeurée en suspens – encore que chaque réponse, bien sûr, ne fît qu'apporter un mystère de plus, bien des détails de leur vie ayant la forme indéchiffrable d'un Grand Inconnu en modèle réduit. Mais la persistance de mystères ne les préoccupait pas outre mesure, et même bien moins qu'on pourrait le penser. On ne peut passer sa vie à s'interroger sur les énigmes de sa propre histoire. Et on aura beau lire et enquêter, jamais on ne connaîtra celle-ci tout entière. Pour ce qui est des orphelins Baudelaire, ce qu'ils en savaient leur suffisait. Les circonstances étant ce qu'elles étaient, lire les écrits de leurs parents était déjà beaucoup – le mieux qu'ils pussent espérer.

La nuit avançant, ils s'assoupissaient, comme leurs parents avant eux, dans les grands fauteuils du repaire secret sous les racines de l'arbre à pommes amères, au flanc du morne de l'île solitaire, loin, bien loin des perfidies du monde. Quelques heures plus tard, évidemment, le nourrisson s'éveillait et emplissait l'espace de pleurs égarés, confus, affamés. Alors celui des Baudelaire dont c'était le tour se levait et, laissant les deux autres dormir, il calait la toute-petite dans une écharpe porte-bébé conçue par Violette et l'emportait jusqu'en haut du morne où ils s'installaient tous deux, parent et nourrisson, pour petit-déjeuner en contemplant la mer.

Parfois, ils allaient tous les quatre visiter la tombe de Kit et y déposer quelques fleurs sauvages, ou encore celle du comte Olaf, où ils faisaient silence un moment. Sur bien des points, la vie des orphelins Baudelaire cette année-là différait assez peu de la mienne, à présent que j'ai achevé cette enquête. Tout comme Violette, Klaus et Prunille, je rends visite à certaines tombes et je passe des heures, le matin, debout sur certain morne, à contempler la mer. Ce n'est pas là toute l'histoire, bien sûr, mais c'est assez. Les circonstances étant ce qu'elles sont, c'est le mieux que vous puissiez espérer.

TABLE DES MATIÈRES

Chapitre I 9

Chapitre II 33

Chapitre III 55

Chapitre IV 79

Chapitre V 105

Chapitre VI 129

Chapitre VII 159

Chapitre VIII 177

Chapitre IX 205

Chapitre X 229

Chapitre XI 255

Chapitre XII 279

Chapitre XIII 305

LEMONY SNICKET est l'auteur des cent soixante-dix chapitres des *Désastreuses Aventures des orphelins Baudelaire*.
Pour lui, la fin est proche.

BRETT HELQUIST est né à Ganado (Arizona), il a grandi à Orem (Utah) et vit aujourd'hui à Brooklyn (New York). Avec la publication du dernier tome des *Désastreuses Aventures des orphelins Baudelaire*, il espère pouvoir enfin mettre le nez dehors en plein jour sans crainte et, surtout, dormir mieux la nuit.

ROSE-MARIE VASSALLO appréhendait la fin, mais cette *Fin* la ravit, vivier de mystères sans fin, et à chacun d'explorer. Un seul regret : devoir rendre copie – alors qu'une traduction n'a pas de fin, quand bien même on y consacrerait plusieurs vies.

Bien cher éditeur,

La fin de *La Fin* se trouve tout
à la fin de *La Fin*.

Avec mes sentiments respectueux,

Lemony Snicket

Lemony Snicket

Ô Mort, vieux capitaine, il est temps ! levons l'ancre !
Ce pays nous ennuie, ô Mort ! Appareillons !
Si le ciel et la mer sont noirs comme de l'encre,
Nos cœurs que tu connais sont remplis de rayons !

TOME DERNIER

CHAPITRE XIV

Lemony Snicket

Illustrations de Brett Helquist
Traduction de Rose-Marie Vassallo

Nathan

Pour Beatrice

Nous sommes des bateaux passant dans la nuit —
Toi surtout.

Chapitre XIV

La toute dernière entrée de la main des parents Baudelaire dans *Une série de désastreuses aventures* est ainsi rédigée :

Comme nous le soupçonnions, nous allons une fois de plus nous trouver rejetés, quoique pas par la mer, cette fois. Les autres sont d'avis que cette île doit à tout prix rester coupée du monde et de ses perfidies, de sorte que, pour nous, ce lieu sûr n'est plus sûr du tout. Nous avons prévu de partir sur un bateau que B a bâti et baptisé de mon nom. J'ai le cœur brisé, mais j'ai déjà eu le cœur brisé dans ma vie, et peut-être est-ce le mieux que je puisse espérer. Tenir nos enfants à l'écart de tout danger est une entreprise illusoire, ici comme ailleurs, où que ce soit, aussi vaut-il sans doute mieux, pour nous et pour l'enfant à naître, nous replonger dans le vaste monde. Incidemment, si c'est une fille, nous l'appellerons Violette, et si c'est un garçon, ce sera Lemony.

Les enfants Baudelaire lurent ce passage un soir, après un souper d'algues en salade suivies d'un flan de crabe, puis de grillade d'agneau, et, lorsque Violette se tut, tous trois éclatèrent de rire. Même la toute-petite, assise sur les genoux de Prunille, poussa un cri réjoui.

– Lemony ? répéta Violette. Ils m'auraient appelée Lemony ? Où diable avaient-ils pêché cette idée ?

– Sans doute le nom de quelqu'un qui était mort, rappela Klaus. C'est la coutume familiale, tu sais bien.

– Lemony Baudelaire, testa Prunille.

Et la toute-petite sur ses genoux eut un nouvel éclat de rire. Elle avait près d'un an et ressemblait énormément à sa mère.

– Ils ne nous ont jamais parlé d'un Lemony, dit Violette, peignant ses cheveux entre ses doigts.

Tout le jour, elle avait travaillé à réparer le système de filtration d'eau et elle se sentait bien fatiguée.

Klaus versa à ses sœurs une nouvelle rasade de lait de coco, que tous préféraient nature.

– Il y a des tas de choses dont ils ne nous ont jamais parlé, tu sais, dit-il. Que croyez-vous que signifie : « J'ai déjà eu le cœur brisé » ?

– Cœur brisé, répondit Prunille ; autrement dit : « Tu connais l'expression, tout de même ! »

Et elle approuva vigoureusement lorsque la fille de Kit murmura :

– Abélar.

Des trois enfants, Prunille était celle qui décodait le mieux le langage singulier de la toute-petite.

– Ce que tout ça signifie, surtout, décida soudain Violette, c'est que nous devrions partir, je crois.

– Quitter l'île ? dit Klaus. Pour aller où ?

– Peu importe. Nous n'allons pas rester ici jusqu'à la fin des temps. Nous ne manquons de rien, c'est un fait, mais il n'est pas bon de vivre entièrement coupé du monde.

– Et perfidies ? rappela Prunille.

– Pour ça, concéda Klaus, nous avons été servis, c'est vrai. Mais il n'y a pas que la sécurité dans la vie.

– Nos parents ont bien quitté l'île, eux, renchérit Violette. Peut-être devons-nous respecter leur souhait.

– Chekrio ? fit la toute-petite, et les enfants Baudelaire posèrent les yeux sur elle un moment.

La fille de Kit grandissait vite, et elle ne manquait pas une occasion d'explorer l'île à sa façon, à quatre pattes. Les trois enfants avaient fort à faire pour la tenir à l'œil, surtout au pied du pommier géant, toujours encombré d'épaves malgré une année passée en tris, en grands rangements et en inventaires minutieux. Bien des objets entassés là étaient dangereux pour un bébé, il va de soi, mais jamais la toute-petite ne s'y était fait plus que des égratignures. Et elle avait le sens du danger, bien sûr, grâce à ce registre des crimes, des folies et des malheurs de l'humanité dont les enfants Baudelaire lui faisaient lecture à voix haute chaque soir. Mais naturellement ils avaient soin de ne pas lui livrer toute l'histoire ; la petite ne connaissait pas tous les secrets Baudelaire – et il en était même que, sans doute, elle ne connaîtrait jamais.

– La tenir à l'écart de tout danger serait une entreprise illusoire, reprit Klaus. Sans compter que les perfidies du monde peuvent venir s'échouer sur ces côtes du jour au lendemain.

– Oui, je suis même étonnée que ce n'ait pas encore été le cas, dit Violette. Des débris de naufrage, il en est arrivé beaucoup, mais pas un seul naufragé.

– Mais Rip Van Winkle ? insista Prunille ; ce qui signifiait : « Mais si nous regagnons le monde, qu'allons-nous y trouver ? »

Il y eut un silence. Faute de livraison de naufragés, les quatre enfants, depuis un an, avaient reçu fort peu de nouvelles du vaste monde, hormis quelques pages de journaux détrempées. À en juger d'après les articles, il y avait toujours là-bas des scélérats en exercice, et aussi quelques volontaires qui semblaient avoir survécu à la tourmente, en tout cas des gens vaillants se débattant pour la cause commune. Les articles, cela dit, provenaient du *Petit Pointilleux*, et les enfants hésitaient à s'y fier. Pour ce qu'ils en savaient, la colonie en fuite pouvait tout aussi bien avoir propagé les spores de la médusoïde et le monde entier avoir péri intoxiqué. Cette dernière hypothèse, cependant, leur semblait peu probable, l'humanité étant toujours parvenue jusqu'alors, malgré la monstruosité de certaines attaques, à ne pas succomber tout entière comme un seul homme. Perdus dans ces réflexions, les trois enfants songeaient aussi à ceux qu'ils espéraient revoir un jour – même si, pour nombre d'entre eux, l'espoir était d'une extrême minceur.

– Hmm, finit par répondre Violette. Ça, nous ne le saurons qu'une fois là-bas.

– En tout cas, dit Klaus, si nous partons, nous n'avons pas de temps à perdre. (Il se leva pour gagner l'établi, au-dessus duquel était accroché un calendrier de sa fabrication, qu'il estimait à peu près exact.) La grande grande marée, celle qui monte assez haut pour permettre le lancement d'un bateau, c'est la semaine prochaine.

– Pas besoin beaucoup, dit Prunille.

Elle songeait, évidemment, aux provisions de bouche. Les tempêtes avaient déposé largement assez de conserves et autres denrées non périssables pour envisager un tour du monde.

– J'ai mis de côté un petit stock d'instruments de navigation, dit Violette.

– Et moi quelques bonnes cartes marines, dit Klaus. Mais nous devrions aussi prévoir d'emporter quelques-unes de nos épaves préférées. Il y a deux ou trois romans de P.G. Wodehouse que j'avais l'intention de lire…

– Moi, des plans de machines, dit Violette, rêveuse.

– Mon fouet, déclara Prunille, brandissant l'ustensile que Vendredi lui avait glissé en contrebande, un an plus tôt, et qui lui était toujours précieux pour préparer quantité de bonnes choses, même à présent que la plus jeune de ses convives avait une douzaine de bonnes petites dents.

– Gatô ! approuva celle-ci de sa voix flûtée, et ses trois tuteurs éclatèrent de rire.

– Et ça, l'emporterons-nous ? s'avisa Violette, soulevant l'énorme volume qu'elle venait de refermer.

– Je dirais plutôt non, répondit Klaus. D'autres naufragés pourraient arriver, et avoir envie de poursuivre l'histoire.

– Et lire, dit Prunille.

– Donc, nous partons bel et bien, conclut Violette.

Et bel et bien, ils partaient.

Après une bonne nuit de sommeil, les enfants Baudelaire se mirent en devoir de préparer ce voyage, et il était tout à fait exact qu'ils n'avaient pas besoin de grand-chose. Prunille réunit des vivres sous forme condensée, de quoi subsister le temps d'une longue traversée, et elle n'oublia pas d'y glisser quelques extras, tels des œufs de poisson prélevés sur la faune aquatique locale, ainsi qu'une tarte aux pommes un peu amère, mais goûteuse. Klaus roula plusieurs cartes en cylindre parfait, puis il ajouta au paquetage quelques lectures à son goût, prélevées dans l'immense bibliothèque. Violette enrichit la pile de divers instruments de navigation, plus cinq ou six plans et schémas complexes, puis c'est elle qui se chargea de sélectionner un bateau parmi la collection d'épaves entreposées sous le pommier géant. Elle fut surprise de constater que celui qui convenait le mieux à l'entreprise était finalement celui dans lequel ils étaient arrivés, encore que, lorsqu'elle l'eut remis en état et armé pour le voyage, elle ne fût plus surprise du tout. Elle avait réparé la coque et l'avait gréée de nouvelles voiles lorsque, avisant la plaque qui clamait : *COMTE OLAF*, elle eut un petit froncement de sourcils et décida de l'arracher. Comme les enfants l'avaient remarqué durant le voyage aller, il y avait une autre plaque par-dessous. Et quand Violette put la lire, quand elle appela ses cadets et leur fille adoptive pour la découvrir à leur tour, un mystère de plus fut levé, et un nouveau prit sa place.

Le jour du départ arriva et, tandis que l'eau montait sur les grèves, les enfants portèrent le bateau – le « vaporetto », comme l'aurait peut-être appelé l'oncle Monty – au pied de la dune, en lisière de la plage, et s'employèrent à y embarquer leurs provisions. Violette, Klaus et Prunille regardèrent le sable blanc où déjà, entre les touffes d'herbe des dunes, poussaient les petits pommiers nés des pépins qu'ils avaient semés. Durant l'année écoulée, les trois enfants avaient passé le plus clair de leur temps du côté du morne et du grand pommier, là où avaient vécu leurs parents, si bien que pour eux « l'autre bout de l'île » était désormais l'emplacement de l'ancienne colonie.

– Sommes-nous prêts pour ce grand plongeon dans le vaste monde ? demanda Violette.

Klaus eut un éclair de malice.

– Moi, oui, dit-il. Du moment que c'est dans le vaste monde et pas dans les profondeurs marines.

– Pareil, dit Prunille, copiant son sourire.

– Où est la petite ? s'enquit Violette. Je veux m'assurer que ce gilet de sauvetage que j'ai fait pour elle est bien à sa taille.

– Tombe de Kit, répondit Prunille. Pour au revoir. Elle arrive.

Et en effet la petite silhouette à quatre pattes venait de franchir le sommet du morne et redescendait, plus vive qu'une souris, en direction des trois enfants et du bateau. Les jeunes Baudelaire la regardèrent approcher, se demandant quelle allait être la suite de l'histoire pour cette enfant et, accessoirement, pour eux trois. À vrai dire, c'est là un point sur lequel on manque de certitudes. Certains affirment que ces trois-là ont rejoint les rangs de V.D.C. et qu'à ce jour encore ils sont lancés dans de nobles missions. D'autres assurent qu'ils périrent en mer, mais la rumeur se plaît assez à vous faire passer pour mort, et il est courant que ce genre de bruit se révèle sans fondement, pour finir. Quoi qu'il en soit, mon enquête étant close, ici se conclut le dernier chapitre de l'histoire des orphelins Baudelaire, même si, pour eux, l'heure de conclure n'a pas sonné.

Les trois enfants prirent place à bord de l'embarcation, et ils laissèrent la petite, toujours à quatre pattes, gagner la lisière de l'eau, où elle n'avait plus qu'à se redresser en s'agrippant au tableau arrière. Bientôt, au plein de la marée, la mer allait lécher le rivage là où jamais elle ne montait le restant de l'année – et les enfants Baudelaire allaient prendre le large, se replonger dans le vaste monde et disparaître du champ de ce récit. Même la toute-petite cramponnée au bateau, et dont l'histoire débutait à peine, s'apprêtait à disparaître de cette chronique, mais non sans avoir prononcé quelques mots.

– Vi ! cria-t-elle, joyeuse, car c'est ainsi qu'elle appelait Violette. Klau ! Pru !

– Nous n'allions pas partir sans toi, va ! la rassura Violette en riant.

– C'est l'heure d'embarquer, matelot ! lui dit Klaus, qui lui parlait toujours comme à une grande.

– Boutchou ! conclut affectueusement Prunille ; c'était son petit nom préféré.

La petite marqua un temps d'arrêt, puis ses yeux se posèrent sur l'arrière de la coque, où était fixée la plaque portant le nom du bateau. Elle n'avait aucun moyen de le savoir, bien sûr, mais cette plaque avait été vissée sur le tableau arrière par une personne qui s'était tenue très exactement au même endroit qu'elle – du moins, si j'en crois mes recherches. La toute-petite se tenait donc sur un emplacement historique pour une autre personne avant elle, mais bien sûr, dans sa petite tête ronde, elle n'avait ni l'histoire de cette personne, noyée dans les brumes du passé, ni son histoire à elle, grande ouverte sur le futur comme l'horizon s'ouvrait tout grand face au bateau. Mais elle regardait cette plaque avec insistance, et ses fins sourcils se fronçaient comme sous l'effet d'une grande concentration.

Et, pour finir, elle prononça un mot.

Les orphelins Baudelaire en eurent le souffle court, sans pouvoir dire, bien sûr, si la petite lisait l'inscription à voix haute ou si, plus simplement, elle prononçait son propre nom – encore une question destinée à rester à jamais sans réponse. Peut-être ce mot-là était-il le premier secret de la toute-petite, secret venu se joindre à ceux que les enfants Baudelaire lui taisaient, et à tous les autres secrets enfouis çà et là, de par le monde. Mais peut-être aussi vaut-il mieux ne pas savoir au juste ce qu'elle entendait par ce mot, certaines choses gagnant nettement à demeurer dans le Grand Inconnu. Et il est, à coup sûr, des mots qu'il vaut mieux taire – quoique pas celui, me semble-t-il, que prononça ma nièce alors, mot signifiant ici que mon récit s'achève.

Beatrice.

TABLE DES MATIÈRES

CHAPITRE XIV   5

LEMONY SNICKET
court toujours.

BRETT HELQUIST
est né à Ganado (Ari-
zona), il a grandi à Orem
(Utah) et vit aujourd'hui
à Brooklyn (New York).
Hélas pour lui, il met
très peu les pieds dehors
en plein jour et dort
encore moins la nuit.

ROSE-MARIE VASSALLO souhaite mer belle et
bonne boussole aux jeunes Baudelaire – à tous les
jeunes hissant la voile – et se sent un peu orpheline.

Cher lecteur,

Si tu n'as pas encore eu ton compte de malheurs, tu peux acheter d'autres épisodes de la série

chez ton infortuné libraire. Il te les vendra peut-être, bien malgré lui, à condition que tu insistes longuement. En effet, le sort ne va cesser de s'acharner sur Violette, Prunille et Klaus…

Tome I - Tout commence mal
Tome II - Le Laboratoire aux serpents
Tome III - Ouragan sur le lac
Tome IV - Cauchemar à la scierie
Tome V - Piège au collège
Tome VI - Ascenseur pour la peur
Tome VII - L'Arbre aux corbeaux
Tome VIII - Panique à la clinique
Tome IX - La Fête féroce
Tome X - La Pente glissante
Tome XI - La Grotte Gorgone
Tome XII - Le Pénultième Péril
Tome XIII - La Fin

ACTIVEMENT RECHERCHÉ : LEMONY SNICKET

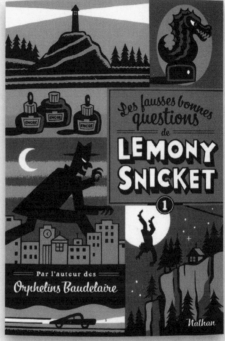

LA NOUVELLE SÉRIE EN LIBRAIRIE

FLASHEZ POUR DÉCOUVRIR LE PREMIER CHAPITRE

N° d'éditeur : 10210420 – Dépôt légal : juin 2010
Achevé d'imprimer en octobre 2014 par Jouve (53100 Mayenne, France)
N° d'impression : 2167660L